# ŚWIAT DYSKU

# TERRY PRATCHETT

# BLASK
# FANTASTYCZNY

Przełożył
Piotr W. Cholewa

Prószyński i S-ka

Tytuł oryginału
**THE LIGHT FANTASTIC**

First published by Colin Smythe Ltd, Great Britain

Projekt graficzny serii
Zombie Sputnik Corporation

Ilustracja na okładce
Copyright © Josh Kirby / via Thomas Schlück GmbH

Redakcja
Maria Zych

Redakcja techniczna
Hanna Balcer
Małgorzata Kozub

Korekta
Teresa Pajdzińska

Łamanie
Małgorzata Wnuk

ISBN 978-83-7337-992-3

Fantastyka

Wydawca
Prószyński i S-ka SA
02-651 Warszawa, ul. Garażowa 7
www.proszynski.pl

Druk i oprawa
ABEDIK S.A.
61-311 Poznań, ul. Ługańska 1

## Tego samego autora polecamy:

Słońce wschodziło powoli, jakby nie było pewne, czy w ogóle warto się wysilać.

Nad Dyskiem wstawał kolejny dzień... ale wstawał niezwykle wolno.

Oto dlaczego:

Kiedy światło napotyka silne pole magiczne, traci wszelki zapał. Zwalnia natychmiast. A nad Światem Dysku magia była deprymująco silna, co oznaczało, że delikatny żółty blask płynął nad śpiącą krainą niczym łagodna pieszczota kochanka albo też, jak wolą niektórzy, jak złocisty syrop. Przystawał, by wypełnić doliny. Piętrzył się na górskich łańcuchach. Dotarł do Cori Celesti, dziesięciomilowej iglicy z szarego kamienia i zielonego lodu, która znaczyła oś Dysku i była mieszkaniem bogów. Wtedy spiętrzył się wielkimi zwałami, by runąć w pejzaż na dole niby ogromne leniwe tsunami, bezgłośne jak aksamit.

Takiego widoku nie można obejrzeć na żadnym innym świecie.

Oczywiście żaden inny świat w drodze przez gwiezdną nieskończoność nie spoczywa na grzbietach czterech słoni, które z kolei stoją na skorupie gigantycznego żółwia. Imię Jego – lub Jej, według opinii innej szkoły filozoficznej – brzmiało A'Tuin, ale nie odegra On – czy też Ona, co być może – głównej roli w opisywanych tu wypadkach.

Jednak kluczem do zrozumienia Dysku jest fakt, że On – lub Ona – tam jest, niżej niż kopalnie, muł dna morskiego i fałszywe skamieliny, podrzucone przez Stwórcę, który nie miał nic lepszego do roboty niż denerwować archeologów i podsuwać im głupie pomysły.

Wielki A'Tuin, żółw gwiazd, ze skorupą oszronioną zamrożonym metanem, poznaczoną kraterami meteorów, zasypaną pyłem asteroid... Wielki A'Tuin z oczami jak pradawne morza i mózgiem rozmiarów kontynentu, w którym myśli suną niby lśniące lodowce... Wielki A'Tuin o powolnych mrocznych płetwach i skorupie polerowanej gwiazdami, pod brzemieniem Dysku płynący przez galaktyczną noc... Wielki jak światy. Stary jak Czas. Cierpliwy jak cegła.

Tu jednak filozofowie mylą się całkowicie. W istocie Wielki A'Tuin jest w znakomitym nastroju.

Wielki A'Tuin jest bowiem w całym wszechświecie jedyną istotą, która dokładnie wie, dokąd zmierza.

Oczywiście, filozofowie przez całe lata debatowali nad kwestią celu wędrówki Wielkiego A'Tuina. Często powtarzali, jak bardzo się martwią, że mogą nigdy owego celu nie poznać.

Poznają go za jakieś dwa miesiące. A wtedy naprawdę zaczną się martwić.

Co jeszcze martwiło obdarzonych wyobraźnią filozofów Dysku, to problem płci Wielkiego A'Tuina. Podejmowano ogromne wysiłki, by ustalić ją raz na zawsze.

A gdy olbrzymi ciemny kształt płynie przez pustkę jak nieskończony szylkretowy grzebień, pojawia się właśnie rezultat ostatniego z tych przedsięwzięć. To wirujący, całkowicie niesterowny kadłub „Śmiałego Wędrowca", czegoś w rodzaju neolitycznego kosmolotu. Został skonstruowany i wypchnięty za krawędź przez kapłanów-astronomów krainy Krull, wygodnie usytuowanej na samym brzegu świata. „Śmiały Wędrowiec" dowiódł, że – niezależnie od ludzkich przesądów – istnieje coś takiego jak darmowa przejażdżka.

We wnętrzu statku przebywa Dwukwiat, pierwszy turysta Dysku. Zwiedzał go pilnie przez ostatnie kilka miesięcy, a teraz opuszcza w pośpiechu z powodów dość skomplikowanych, ale – najogólniej rzecz ujmując – mających związek z próbą ucieczki z Krulla.

Ta próba zakończyła się tysiącprocentowym sukcesem.

I chociaż wiele faktów świadczy o tym, że Dwukwiat może być również ostatnim turystą Dysku, w tej chwili podziwia on widoki.

Dwie mile ponad nim spada w otchłań mag Rincewind, przyodziany w coś, co na Dysku uchodzi za skafander kosmiczny. Strój ten można sobie wyobrazić jak kombinezon do nurkowania, projektowany przez ludzi, którzy nigdy nie widzieli morza. Sześć miesięcy temu Rincewind był zwykłym nieudanym magiem. Potem spotkał Dwukwiata i został wynajęty jako przewodnik z niewiarygodnie wysoką pensją. Większą część czasu, jaki od tej pory upłynął, spędził, będąc ostrzeliwany, zastraszany i ścigany, wisząc nad otchłaniami bez żadnej nadziei na ratunek oraz – jak w tej chwili – spadając w te otchłanie.

Nie podziwia widoków, gdyż jego życie przewija mu się przed oczami i wszystko zasłania. Właśnie się przekonuje, dlaczego wkładając kosmiczny skafander, w żadnym razie nie należy zapominać o hełmie.

Wiele można by jeszcze powiedzieć dla wyjaśnienia, czemu ci dwaj odlatują ze swego świata i czemu Bagaż Dwukwiata – po raz ostatni widziany, gdy na setkach małych nóżek rozpaczliwie usiłował doścignąć swego pana – nie jest zwyczajnym kufrem. Jednak takie wyjaśnienia wywołują na ogół więcej kłopotów niż pożytku. Na przykład: podobno kiedyś na przyjęciu ktoś zapytał słynnego filozofa Ly Tin Weedle'a „Po co przyszedłeś?" i odpowiedź zajęła mu trzy lata.

Ważniejsze jest wydarzenie, które rozgrywa się o wiele wyżej, ponad A'Tuinem, słoniami i konającym szybko magiem. Same włókna czasu i przestrzeni mają właśnie trafić do zgrzeblarki.

*Powietrze gęste było od wyraźnego napięcia magicznego i gryzące od dymu świec odlanych z czarnego wosku, o którego pochodzenie człowiek rozsądny nie powinien pytać.*

Było coś niezwykłego w tej komnacie, ukrytej głęboko w podziemiach Niewidocznego Uniwersytetu, głównej magicznej uczelni Dysku. Przede wszystkim zdawało się, że ma ona zbyt wiele wymiarów nie całkiem widzialnych – raczej unoszących się tuż poza zasięgiem wzroku. Ściany pokrywały okultystyczne symbole, a większą część podłogi zajmowała Ośmiokrotna Pieczęć Bezruchu. W kręgach magów panowała opinia, że Pieczęć zdolna jest powstrzymywać wszelkie formy mocy, a jej skuteczność dorównuje celnie wymierzonej cegłówce.

Jedyne umeblowanie tej komnaty stanowił pulpit z ciemnego drewna, rzeźbiony w kształt ptaka... a raczej, szczerze mówiąc, w kształt skrzydlatego stworzenia, któremu prawdopodobnie lepiej się nie przyglądać zbyt dokładnie. Na pulpicie, umocowana do niego ciężkim łańcuchem z wieloma kłódkami, leżała księga.

Nie wyglądała szczególnie imponująco. Inne księgi w bibliotece uniwersytetu miały okładki wysadzane rzadkimi klejnotami i cennym drewnem albo zrobione ze smoczej skóry. Ta była oprawiona w zwyczajną, dość wytartą skórę. Wyglądała jak książka, którą w bibliotecznych katalogach określa się jako „lekko podniszczona", choć uczciwość nakazuje przyznać, że sprawiała wrażenie nadniszczonej, przedniszczonej, zaniszczonej, a prawdopodobnie również śródniszczonej.

Spinały ją metalowe klamry. Nie były zdobione, jedynie bardzo ciężkie – podobnie jak łańcuch, który nie tyle mocował księgę do pulpitu, ile ją do niego przykuwał. Klamry wyglądały jak dzieło człowieka, który myślał o czymś bardzo konkretnym i który większą część życia poświęcił wyrabianiu uprzęży do ujeżdżania słoni.

Powietrze gęstniało i wirowało. Karty księgi zaczynały się marszczyć w okropny, zdecydowanie świadomy sposób. Cisza w komnacie nabierała mocy niby z wolna zaciskana pięść.

Pół tuzina magów w nocnych koszulach kolejno zaglądało do środka przez małe okratowane okienko w drzwiach. Żaden z nich nie mógłby zasnąć, gdy działo się coś takiego. Spiętrzenie pierwotnej magii zalewało uniwersytet jak fala.

– Już jestem! – zawołał jakiś głos. – O co chodzi? I czemu mnie nie wezwano?

Galder Weatherwax, Najwyższy Wielki Mag Obrządku Srebrnej Gwiazdy, Lord Imperator Uświęconej Laski, Impissimus Ósmego Stopnia i 304 Rektor Niewidocznego Uniwersytetu, nie był postacią zwyczajnie imponującą nawet w czerwonej nocnej koszuli w ręcznie haftowane magiczne runy, w długiej szlafmycy z chwościkiem i ze świecą w kształcie krasnoludka w dłoni. Był postacią imponującą nawet w pluszowych kapciach z pomponami.

Sześć przerażonych twarzy zwróciło się ku niemu.

– Ehm... Wezwano cię, panie – zauważył jeden z podmagów. – Dlatego tu jesteś – dodał tonem przypomnienia.

– Chciałem powiedzieć: dlaczego nie wezwano mnie wcześniej? – warknął Galder, przeciskając się do drzwi.

– Ee... wcześniej niż kogo, panie? – nie zrozumiał mag.

Galder spojrzał na niego groźnie, po czym zaryzykował szybki rzut oka przez kratkę.

Powietrze w komnacie migotało od maleńkich rozbłysków – to drobiny kurzu płonęły w strumieniu pierwotnej magii. Pieczęć Bezruchu zaczynała puchnąć i zwijać się przy krawędziach. Księgę, o której mowa, nazywano Octavo. Najwyraźniej nie była to zwykła księga.

Naturalnie, istnieje wiele słynnych ksiąg magii. Niektórzy wymieniają tu Necrotelicomnicon o kartach ze skóry pradawnych jaszczurów; inni wskazują Księgę Wyjścia Koło Jedenastej, spisaną przez tajemniczą i dość leniwą sektę lamaistyczną; inni jeszcze wspominają o Grimoire Skuterów, zawierającej podobno jedyny oryginalny dowcip, jaki pozostał jeszcze we wszechświecie. Wszystkie one jednak to zwykłe pamflety wobec Octavo. Legenda głosi, że Stwórca – z typowym dla siebie roztargnieniem – pozostawił ją na Dysku wkrótce po zakończeniu swego głównego dzieła.

Osiem zaklęć uwięzionych na kartach księgi żyło własnym, tajemnym i złożonym życiem. Powszechnie wierzono, że...

Galder zmarszczył brwi, widząc panujący w komnacie chaos. Naturalnie, teraz pozostało w księdze tylko siedem zaklęć. Jakiś młody idiota, student magii, zdołał kiedyś zerknąć do księgi i jedno z zaklęć wyrwało się i utkwiło mu w pamięci. Nikt nie zdołał do końca pojąć, jak do tego doszło. Jak on się nazywał? Winswand?

Na grzbiecie księgi zapalały się oktarynowe i fioletowe iskry. Z pulpitu uniosła się cienka smużka dymu, a spinające okładki ciężkie metalowe klamry wyglądały na bardzo wyczerpane.

– Dlaczego zaklęcia są takie niespokojne? – zapytał jeden z młodszych magów.

Galder wzruszył ramionami. Nie mógł tego okazać, ale zaczynał się naprawdę niepokoić. Jako wytrawny czarnoksiężnik ósmego stopnia dostrzegał na wpół wyimaginowane kształty, które pojawiały się przelotnie w rozedrganym powietrzu, przymilały się i kiwały do niego. Jak burza ściąga komary, tak ciężkie spiętrzenia magii zawsze przywabiają stwory z chaotycznych Wymiarów Piekieł – paskudne stwory, całe ze śluzu i poskładanych byle jak organów. Szukały szczeliny, by wśliznąć się do świata ludzi*.

---

\* Nie będą tu opisywane, gdyż nawet najpiękniejsze wyglądają jak pomiot ośmiornicy i roweru. Wiadomo, że stwory z niepożądanych wszechświatów zawsze usiłują wtargnąć do naszego, gdyż stanowi on psychiczny mieszkaniowy odpowiednik bliskich sklepów i lepszych połączeń autobusowych.

Trzeba temu zapobiec.

– Potrzebny mi ochotnik – oznajmił stanowczo.

Nagle zapadła cisza. Tylko zza drzwi dobiegały jakieś dźwięki. Były to nieprzyjemne ciche trzaski ustępującego pod naciskiem metalu.

– No dobrze – rzekł Galder. – W takim razie potrzebuję srebrnych szczypiec, kwarty kociej krwi, małego bicza i krzesła...

Mówi się, że cisza jest przeciwieństwem hałasu. Nieprawda. Cisza jest tylko brakiem hałasu. Cisza byłaby straszliwym harmidrem w porównaniu z nagłą, cichą implozją bezdźwięczności, która trafiła magów z siłą wybuchu dmuchawca.

Z księgi wystrzeliła gruba kolumna ostrego blasku, w fali ognia uderzyła o sklepienie i zniknęła.

Galder spojrzał w otwór, nie zwracając uwagi na tlące się kosmyki brody. Dramatycznym gestem wyciągnął rękę.

– Na wyższe piętra! – krzyknął i ruszył biegiem po kamiennych stopniach, klapiąc kapciami i powiewając połami nocnej koszuli.

Inni magowie ruszyli za nim, przewracając się jeden o drugiego w swej gorliwości pozostania w tyle.

Mimo to wszyscy zdążyli zobaczyć, jak ognista kula magicznego potencjału znika w suficie komnaty.

Pomieszczenie to było kiedyś częścią biblioteki, ale przepływająca magia odmieniła na swej drodze wszystkie cząstki prawdopodobieństwa. Dlatego rozsądne wydawało się założenie, że małe fioletowe traszki były wcześniej elementem podłogi, a ananasowy budyń – książkami. Kilku magów przysięgało, że siedzący pośród tego chaosu nieduży smętny orangutan przypominał głównego bibliotekarza.

Galder spojrzał w górę.

– Do kuchni! – ryknął i pobrnął przez budyń ku schodom.

Nikt nigdy nie wykrył, w co zmienił się wielki piec z lanego żelaza, ponieważ wybił dziurę w ścianie i zdążył uciec, zanim do kuchni wpadła gromada magów w rozwianych koszulach. Głównego specjalistę przyrządzania jarzyn odkryto później w kotle na zupę. Bełkotał jakieś słowa bez związku, w stylu „Kłykcie! Straszliwe kłykcie!".

Ostatnie smugi magii, teraz już powolniejsze, znikały w suficie.

– Do Głównego Holu!

Schody były tu o wiele szersze i lepiej oświetlone. Zasapani i pachnący ananasem co sprawniejsi magowie dotarli na miejsce, gdy ognista kula wzleciała do połowy wysokości przewiewnej sali, będącej holem wejściowym Niewidocznego Uniwersytetu. Tu zawisła nieruchomo, jeśli nie liczyć drobnych wypustków, które strzelały z powierzchni i natychmiast zapadały się z powrotem.

Jak powszechnie wiadomo, magowie palą. To zapewne tłumaczy chór grobowych kaszlnięć i zgrzytów podobnych do dźwięku piły, które wybuchły nagle za Galderem. On zaś stał nieruchomo, oceniał sytuację i myślał, czy ośmieli się rozejrzeć za jakąś kryjówką. Chwycił za ramię przerażonego studenta.

– Sprowadź mi widzących, przyszłowidzących, patrzących w kryształowe kule i zerkających do wnętrza – warknął. – Niech to przebadają.

W ognistej kuli tworzyła się jakaś forma. Galder zmrużył oczy i obserwował niewyraźny kształt. Nie mógł się mylić; to powstawał wszechświat.

Był tego całkiem pewien, ponieważ w swojej pracowni miał jego model i wszyscy uważali, że wygląda on o wiele bardziej imponująco niż oryginał. Stwórca gubił się wobec możliwości drobnych pereł i srebrnego filigranu.

Ale maleńki wszechświat w kuli ognia był nieprzyjemnie... no... rzeczywisty. Brakowało mu tylko koloru. Pozostawał półprzejrzyście mglisto biały.

Galder widział Wielkiego A'Tuina, cztery słonie i sam Dysk. Ze swego miejsca nie rozróżniał szczegółów powierzchni, ale miał lodowatą pewność, że została wymodelowana z absolutną dokładnością. Dostrzegał jedynie miniaturową replikę Cori Celesti, na którego szczycie szczytów żyją kłótliwi, drobnomieszczańscy bogowie świata. Mieszkają w pałacu, w wyłożonych marmurem, alabastrem i pluszem trzypokojowych apartamentach, które zechcieli nazwać Dunmanifestin. Obywateli Dysku z pretensjami do wyższej kultury zawsze irytowała myśl, że rządzą nimi bogowie, dla których przykładem wzniosłego przeżycia artystycznego jest dzwonek do drzwi z melodyjką.

Maleńki, embrionalny wszechświat poruszył się lekko, przechylił...

Galder próbował krzyknąć, lecz głos odmówił mu posłuszeństwa.

Spokojnie, ale z niepowstrzymaną siłą eksplozji kształt się rozrósł.

Mag patrzył ze zgrozą, a potem ze zdumieniem, jak przenika przez niego lekko niby myśl. Wyciągnął rękę i obserwował blade widma warstw skalnych, w pracowitej ciszy cieknące mu przez palce.

Wielki A'Tuin, większy już od domu, opadł wolno poniżej poziomu podłogi.

Magowie za Galderem stali zanurzeni po piersi w morzach. Jego uwagę zwróciła na moment łódka nie większa od kolca ostu. Po chwili zniknęła w ścianie i odpłynęła.

– Na dach! – wykrztusił, drżącym palcem wskazując w niebo.

Magowie, którym zostało jeszcze dość rozumu, by myśleć, i dość tchu, by biegać, ruszyli za nim. Pędzili przez kontynenty, gładko wsuwające się w lity kamień.

 Wciąż trwała noc zabarwiona obietnicą świtu. Zachodził księżyc. Ankh-Morpork, największe miasto na ziemiach wokół Okrągłego Morza, spało.

To zdanie nie jest całkiem prawdziwe.

Z jednej strony ci obywatele miasta, którzy zwykle zajmują się, na przykład, sprzedażą warzyw, podkuwaniem koni, rzeźbieniem wyszukanych ozdób z nefrytu, wymianą pieniędzy czy produkcją stołów – ogólnie rzecz biorąc, spali. Chyba że cierpieli na bezsenność. Albo wstali nocą – co się zdarza – żeby wyjść do toalety. Z drugiej strony wielu mniej praworządnych mieszkańców było całkiem przytomnych i – na przykład – przechodzili przez cudze okna, podrzynali gardła, toczyli ze sobą bójki i w ogóle znacznie lepiej się bawili. Spała za to większość zwierząt, z wyjątkiem szczurów. I nietoperzy, ma się rozumieć. Jeśli chodzi o owady...

Rzecz w tym, że takie opisowe zdania niezwykle rzadko precyzyjnie oddają stan faktyczny. Za panowania Olafa Quimby II, Patrycjusza Ankh, wydano odpowiednie prawa ograniczające użycie tego typu wyrażeń i wprowadzające do opowieści pewną dokładność. Stąd też, gdy legenda mówiła o znanym bohaterze, że „wszyscy sławili jego męstwo", każdy ceniący swe życie bard dodawał szybko: „z wyjątkiem kilku osób z rodzinnej wioski, które uważały go za kłamcę, oraz tych – a było ich niemało – którzy wcale o nim nie słyszeli". Poetyckie metafory zostały ściśle ograniczone do sformułowań typu: „jego wspaniały rumak był chyży jak wiatr w dość spokojny dzień, powiedzmy – wiatr o sile trzech stopni". Każda przypadkowa uwaga o pięknolicej, której twarz tysiąc okrętów wyprawiła w morze, musiała zostać poparta dowodem, że obiekt pożądania istotnie przypomina butelkę szampana.

Quimby zginął w końcu z ręki niechętnego poety podczas próby przeprowadzonej na terenie pałacu. Eksperyment miał wykazać wątpliwą precyzję przysłowia „Pióro mocniejsze jest od miecza". Dla uczczenia pamięci władcy zmieniono je, uzupełniając zdaniem: „wyłącznie jeśli miecz jest bardzo mały, a pióro bardzo ostre".

Do rzeczy. Około sześćdziesięciu siedmiu, może sześćdziesięciu ośmiu procent miasta spało. Co nie znaczy, że inni obywatele, zajęci swymi na ogół przestępczymi sprawami, zauważyli bladą falę zalewającą ulice. Jedynie magowie, przyzwyczajeni do widzenia tego, co niewidzialne, obserwowali, jak pieni się na odległych polach.

Dysk, jako że jest płaski, nie posiada prawdziwego horyzontu. Niektórzy żądni przygód żeglarze, którym od długiego wpatrywania się w jajka i pomarańcze przychodzą do głowy głupie pomysły, próbowali czasem dopłynąć na antypody. I szybko się przekonywali, dlaczego odległe statki wyglądają czasem tak, jakby ginęły za krawędzią świata. Dlatego mianowicie, że giną za krawędzią świata.

Jednakże w zapylonej i mglistej atmosferze nawet wzrok Galdera podlegał pewnym ograniczeniom. Mag podniósł głowę. Wysoko nad uniwersytetem wznosiła się posępna i starożytna Wieża Sztuk, podobno najstarsza budowla Dysku, ze słynnymi spiralnymi schodami o ośmiu tysiącach ośmiuset osiemdziesięciu ośmiu stopniach. Z jej dachu, otoczonego blankami i będącego siedzibą kruków i niepokojąco czujnych maszkaronów, mag potrafił sięgnąć wzrokiem do samej krawędzi Dysku. Oczywiście po dziesięciu mniej więcej minutach przeraźliwego kaszlu.

– Niech to... – mruknął Galder. – W końcu po co jestem magiem? Aviento, thessalous! Będę latał! Do mnie, duchy powietrza i ciemności!

Wyciągnął pomarszczoną dłoń i wskazał fragment pokruszonego parapetu. Spod poplamionych nikotyną palców strzelił oktarynowy płomień i uderzył o nadgniły kamień w górze.

Kamień runął. Dzięki precyzyjnie wyliczonej wymianie pędów Galder uniósł się w górę, a nocna koszula trzepotała mu wokół chudych nóg. Wyżej, wciąż wyżej wzlatywał, pędząc przez bladą poświatę niczym... no dobrze, niczym podstarzały, ale potężny mag, unoszony dzięki mistrzowskiemu pchnięciu kciukiem wagi wszechświata.

Wylądował wśród starych gniazd, odzyskał równowagę i spojrzał na oszałamiającą wizję świtu na Dysku.

O tej porze długiego roku Morze Okrągłe znajdowało się niemal dokładnie po stronie zachodu słońca od Cori Celesti. I kiedy światło dnia ściekało na krainy wokół Ankh-Morpork, cień góry rozcinał widnokrąg jak gnomon słonecznego zegara Boga. Jednak od strony nocy, ścigającej się z powolnym blaskiem aż do krańca świata, nadal kłębiła się linia białej mgły.

Za plecami usłyszał trzask suchych gałązek. Obejrzał się – to nadszedł Ymper Trymon, drugi co do ważności w Obrządku i jedyny mag, który potrafił nadążyć za mistrzem.

Galder zignorował go chwilowo. Dbał tylko o to, by mocno trzymać się kamieni i wzmacniać personalne zaklęcia ochronne. Awanse nie zdarzały się często w fachu, który tradycyjnie gwarantował długie życie. Nikt więc nie miał pretensji do młodszego maga, jeśli próbował zająć miejsce swego mistrza – uprzednio usunąwszy stamtąd poprzedniego lokatora. Poza tym było w Trymonie coś niepokojącego. Nie palił i pił wyłącznie przegotowaną wodę. Galder żywił niemiłe podejrzenie, że jest sprytny. Nie uśmiechał się zbyt często, lubił liczby i przedziwne schematy struktur organizacyjnych, na których była masa kwadracików i strzałek wskazujących inne kwadraciki. Krótko mówiąc, był takim człowiekiem, który potrafi użyć słowa „personel" i nie żartować.

Cały widzialny Dysk okrywała teraz migotliwa biała skóra. Pasowała idealnie.

Galder spojrzał na własne dłonie. Przesłaniała je blada sieć lśniących nitek, które podążały za każdym ruchem palców.

Rozpoznał to zaklęcie. Sam takich używał. Ale jego były słabsze... o wiele słabsze.

– To czar Przemiany – oświadczył Trymon. – Cały świat ulega zmianie.

Niektórzy, pomyślał niechętnie Galder, mieliby dość przyzwoitości, żeby na końcu takiego zdania umieścić wykrzyknik.

Zabrzmiał delikatny, czysty dźwięk, wysoki i ostry, jakby myszy pękło serce.

– Co to było? – spytał Galder.

Trymon pochylił głowę.

– Chyba ton cis.

Rektor milczał. Biała mgła zniknęła i do obu magów zaczynały docierać pierwsze odgłosy budzącego się miasta. Wszystko wydawało się dokładnie takie samo jak poprzednio. Więc tyle wysiłku tylko po to, żeby nic się nie zmieniło?

Galder poklepał się po kieszeniach nocnej koszuli, a po chwili odnalazł obiekt poszukiwań za uchem. Wsunął do ust wilgotny niedopałek, wezwał magiczny ogień spomiędzy palców i zaciągnął się dymem tak mocno, aż niebieskie światełka rozbłysły mu przed oczami. Raz czy dwa zakaszlał.

Zastanawiał się głęboko.

Próbował sobie przypomnieć, czy jacyś bogowie nie mają wobec niego długu wdzięczności.

Tymczasem bogowie byli równie zdziwieni jak magowie. Byli też bezsilni i w tej kwestii niezdolni do jakiegokolwiek działania. Zresztą i tak zajmowała ich trwająca całe eony wojna z Lodowymi Gigantami, którzy nie chcieli im zwrócić pożyczonej kosiarki do trawy.

Jakąś wskazówkę dotyczącą sensu tych zdarzeń można dostrzec w fakcie, że Rincewind stwierdził, iż wcale nie kona, ale zwisa głową w dół z gałęzi sosny. I to w chwili, gdy jego przeszłe życie dotarło właśnie do całkiem interesującego fragmentu, kiedy miał piętnaście lat. Bez trudu znalazł się na ziemi, spadając z jednej gałęzi na drugą, aż wylądował na stosie sosnowych igieł. Leżał tam nieruchomo, dyszał ciężko i żałował, że nie był lepszym człowiekiem.

Wiedział, że gdzieś istnieje absolutnie logiczne wytłumaczenie faktu, że ktoś w jednej chwili umiera, spadając z brzegu świata, a w następnej wisi głową w dół na drzewie.

I – jak zwykle w takich chwilach – w myślach wezbrało mu Zaklęcie.

Nauczyciele na ogół uważali wrodzony talent Rincewinda do magii za równy wrodzonym talentom ryb do górskich wspinaczek. Pewnie i tak zostałby usunięty z Niewidocznego Uniwersytetu – nie potrafił spamiętać zaklęć, a od papierosów dostawał mdłości. Ale prawdziwe kłopoty sprowadziła na niego dopiero ta głupia historia, kiedy to zakradł się do komnaty, gdzie przykute do pulpitu leżało Octavo. I otworzył je.

Sprawę jeszcze bardziej gmatwało to, że nikt właściwie nie wiedział, dlaczego na tę chwilę wszystkie zamki zostały otwarte.

Zaklęcie nie było kłopotliwym lokatorem. Po prostu siedziało w pamięci jak stara ropucha na dnie stawu. Ale kiedy tylko Rincewind czuł się wyjątkowo zmęczony albo przestraszony, Zaklęcie próbowało zostać wypowiedziane. Nikt nie wiedział, co nastąpi, gdy jedno z Ośmiu Wielkich Zaklęć wypowie się samo z siebie. Wyrażano jednak zgodne opinie, że najlepszym miejscem do obserwacji efektów byłby sąsiedni wszechświat.

To dość niezwykła myśl, skoro przyszła mu do głowy, gdy leżał na stosie igieł, ledwie spadł za krawędź świata... ale Rincewind miał uczucie, że Zaklęcie dba o jego życie.

To mi odpowiada, pomyślał.

Usiadł i rozejrzał się. Był miejskim magiem. Wiedział wprawdzie, że rozmaite gatunki drzew różnią się między sobą, dzięki czemu ich ukochani i najbliżsi potrafią je rozpoznać. Ale sam był pewien tylko jednego: że koniec bez liści powinien tkwić w ziemi. Wokół znajdowało się zbyt wiele drzew, ustawionych w całkowitym bezładzie. Od wieków chyba nikt tu nie sprzątał.

Przypominał sobie niejasno, że aby poznać, gdzie człowiek się znalazł, należy sprawdzić, którą stronę pnia porasta mech. Te drzewa miały mech ze wszystkich stron, a prócz tego bulwiaste narośle i sękate stare konary. Gdyby drzewa były ludźmi, tutejsze siedziałyby w fotelach na biegunach.

Rincewind kopnął najbliższe. Z bezbłędną dokładnością zrzuciło na niego żołądź.

– Au – mruknął.

Drzewo odpowiedziało głosem podobnym do dźwięku otwieranych bardzo starych drzwi.

– Dobrze ci tak.

Na długą chwilę zapadła cisza.

– Ty to powiedziałeś? – zapytał wreszcie Rincewind.

– Tak.

– I to też?

– Tak.

– Aha. – Zastanowił się. Po czym spróbował: – A może przypadkiem wiesz, jak wyjść z tego lasu?

– Nie. Nie podróżuję zbyt często – odparło drzewo.

– To chyba nie bardzo ciekawe zajęcie: być drzewem.

– Nie mam pojęcia. Nigdy nie byłem niczym innym.

Rincewind przyjrzał się drzewu uważnie. Wyglądało dokładnie tak jak wszystkie inne drzewa, które dotąd widywał.

– Jesteś magiczne? – spytał.

– Nikt mi tego nie mówił – stwierdziło drzewo. – Ale chyba tak.

Nie mogę rozmawiać z drzewem, myślał Rincewind. Gdybym rozmawiał z drzewem, byłbym szaleńcem. A nie jestem szaleńcem, zatem drzewa nie mówią.

– Do widzenia – rzekł stanowczo.

18

– Zaraz, nie odchodź – zaczęło drzewo, ale natychmiast zrozumiało, że to beznadziejne.

Obserwowało, jak Rincewind, zataczając się, brnie przez krzaki. Potem wróciło do wyczuwania słońca na liściach, chlupotu i bulgotania wody wokół korzeni, pływów i prądów soku odpowiadającego na naturalne przyciąganie słońca i księżyca. Nieociekawe, myślało. Dziwne określenie. Drzewa mogą ociekać, robią to po każdym deszczu, ale jemu chodziło chyba o coś innego. I jeszcze: czy można być czymś innym?

Rincewind nigdy już nie rozmawiał z tym szczególnym drzewem, ale ich krótka wymiana zdań posłużyła za fundament pierwszej drzewnej religii, która z czasem ogarnęła wszystkie lasy świata. Podstawowy dogmat wiary owej religii brzmiał: jeśli drzewo było dobrym drzewem, jeśli prowadziło życie czyste, przyzwoite i uczciwe, może być pewne przyszłego życia po śmierci. A jeśli było drzewem naprawdę dobrym, kiedyś dostąpi reinkarnacji jako pięć tysięcy rolek papieru toaletowego.

Kilka mil dalej Dwukwiat także był zdumiony swym nagłym powrotem na Dysk. Siedział na kadłubie „Śmiałego Wędrowca", który z bulgotem pogrążał się wolno w ciemnych wodach sporego jeziora otoczonego lasem.

To dziwne, ale Dwukwiat specjalnie się nie zmartwił. Był turystą, pierwszym z gatunku, który na Dysku ewolucja miała dopiero stworzyć. Podstawę jego istnienia stanowiło niewzruszone przekonanie, że nic złego nie może mu się przytrafić... ponieważ on się nie miesza. Wierzył także, że każdy może zrozumieć, co się do niego mówi, pod warunkiem że mówi się głośno i powoli. Jak również że ludzie są generalnie godni zaufania i że między ludźmi dobrej woli można rozwiązać każdy problem, jeśli tylko będą kierowali się rozsądkiem.

Pozornie dawało mu to szansę przetrwania minimalnie mniejszą niż, powiedzmy, śledzia w mydlinach. Jednak ku zdumieniu Rincewinda wszystko to zdawało się sprawdzać. Całkowite lekceważenie wszelkich zagrożeń sprawiało jakoś, że zagrożenia zniechęcały się, rezygnowały i znikały.

Zwykła groźba utonięcia nie miała żadnych szans. Dwukwiat był pewien, że w dobrze zorganizowanym społeczeństwie ludzie nie mogą ot, tak sobie, tonąć. Martwił się za to, gdzie podział się jego Bagaż. Pocieszył się myślą, że Bagaż zrobiony jest z myślącej gruszy i powinien mieć dość rozumu, żeby sam o siebie zadbał.

W jeszcze innej części lasu młody szaman przechodził niezwykle istotny element swego szkolenia. Zjadł świętego mu-
chomora, wypalił uświęcone kłącze, starannie roztarł na pro-
szek mistyczny grzyb i umieścił go w rozmaitych otworach ciała. Teraz,
siedząc ze skrzyżowanymi nogami pod sosną, koncentrował się przede
wszystkim na nawiązaniu kontaktu z niezwykłymi i cudownymi tajem-
nicami jądra Istnienia, głównie zaś na powstrzymaniu czubka głowy, by
nie odkręcił się od pozostałej części i nie odleciał.

W jego wizjach wirowały błękitne czworoboczne trójkąty. Od czasu do czasu uśmiechał się mądrze do niczego konkretnego i wypowia-
dał słowa typu: „Ou!" albo „Ach".

Wtem coś zadrżało w powietrzu i nastąpiło zjawisko, które później
opisał jako „coś w rodzaju jakby eksplozji, tylko na odwrót, rozumiecie". I nagle tam, gdzie przedtem niczego nie było, pojawiła się duża,
poobijana, drewniana skrzynia.

Wylądowała ciężko na kupie liści, wysunęła dziesiątki małych nóżek i odwróciła się niezgrabnie, by spojrzeć na szamana. To znaczy, nie
miała wprawdzie twarzy, ale nawet wśród grzybowej mgiełki młody
człowiek był przeraźliwie pewien, że skrzynia mu się przygląda. I to nie
z sympatią. Zadziwiające, jak złośliwie może wyglądać dziurka od klucza i kilka otworów na sznury.

Ku niewypowiedzianej uldze szamana kufer wykonał gest podobny do drewnianego wzruszenia ramionami, po czym lekkim truchtem
odbiegł między drzewa.

Z nadludzkim wysiłkiem szaman przypomniał sobie właściwą se-
kwencję poruszeń prowadzącą do wstania. Zdołał nawet przejść kilka
kroków, nim spojrzał w dół i zrezygnował, gdyż skończyły mu się nogi.

Tymczasem Rincewind znalazł ścieżkę. Zakręcała często i pewniej
by się czuł, gdyby była wybrukowana. Jednak podążał nią, bo uznał, że
zawsze to jakieś zajęcie.

Kilka drzew usiłowało nawiązać rozmowę, lecz Rincewind był niemal pewien, że nie jest to normalne zachowanie drzew. Dlatego je
ignorował.

Dzień się wydłużał. Nie dochodził tu żaden dźwięk z wyjątkiem
brzęczenia żądlących owadów, z rzadka trzasku padającej gałęzi i szeptów drzew dyskutujących o religii i problemach z wiewiórkami. Rincewind zaczynał odczuwać samotność. Wyobraził sobie, że na zawsze już
ma zamieszkać w lesie, sypiać na liściach i żywić się... żywić się... tym,

czym można się w lesie pożywić. Drzewami, jak przypuszczał, orzechami i jagodami. Będzie musiał...

– Rincewind!

Z przeciwka nadchodził ścieżką Dwukwiat. Ociekał wodą, ale promieniał z radości. Bagaż biegł za nim (cokolwiek wykonanego z drewna myślącej gruszy podąża za swoim właścicielem wszędzie; z drewna tego często budowane są kufry wkładane do grobów bardzo bogatych zmarłych królów, którzy nowe życie na tamtym świecie chcieliby rozpocząć z czystą bielizną na zmianę). Rincewind westchnął. Do tej chwili uważał, że jego sytuacja gorsza już być nie może.

Zaczął padać wyjątkowo mokry i zimny deszcz. Rincewind i Dwukwiat siedzieli pod drzewem i przyglądali mu się.

– Rincewind...

– Tak?

– Dlaczego tu jesteśmy?

– No cóż... Niektórzy twierdzą, że Stwórca Wszechświata zrobił Dysk i wszystko, co się na nim znalazło. Inni uważają, że to bardzo skomplikowana historia, w której ważną rolę grają jądra Boga Niebios i mleko Niebiańskiej Krowy. Jeszcze inni przekonują, że powstaliśmy wszyscy dzięki absolutnie przypadkowej koncentracji cząstek prawdopodobieństwa. Ale jeśli pytasz, dlaczego jesteśmy tutaj, zamiast spadać z Dysku... nie mam bladego pojęcia. Pewnie zaszła jakaś straszliwa pomyłka.

– Aha. Jak myślisz, czy w lesie można znaleźć coś do jedzenia?

– Tak – stwierdził mag z goryczą. – Nas.

– Mam trochę żołędzi, gdybyście mieli ochotę – zaproponowało uprzejmie drzewo.

Przez chwilę siedzieli w wilgotnym milczeniu.

– Rincewind, drzewo powiedziało...

– Drzewa nie mówią – warknął Rincewind. – To ważne, żeby o tym nie zapominać.

– Przecież sam słyszałeś...

Rincewind westchnął.

– Posłuchaj – zaczął. – Cała rzecz sprowadza się do podstaw biologii. Jeśli chcesz mówić, musisz posiadać odpowiednie wyposażenie, takie jak płuca, wargi i...

– Struny głosowe – podpowiedziało drzewo.

– No właśnie – zgodził się mag. A potem zamknął usta i posępnie zapatrzył się w deszcz.

– Myślałem, że magowie wiedzą wszystko o drzewach, pożywieniu w dziczy i w ogóle – oznajmił z wyrzutem Dwukwiat. Zdarzało się niezwykle rzadko, by ton jego głosu sugerował, że nie uważa Rincewinda za niezrównanego czarownika.

Mag musiał zareagować.

– Wiem to wszystko, wiem – burknął.

– No to jakie to drzewo? – zapytał turysta.

Rincewind spojrzał w górę.

– Buk – oznajmił stanowczo.

– Właściwie... – zaczęło drzewo, ale urwało natychmiast, gdy dostrzegło minę Rincewinda.

– Te małe w górze wyglądają całkiem jak żołędzie – zauważył Dwukwiat.

– To odmiana siedząca, heptokarpiczna – wyjaśnił Rincewind. – Orzechy są bardzo podobne do żołędzi. Prawie każdy się myli.

– Coś takiego... – mruknął Dwukwiat. – A tamten krzak?

– Jemioła.

– Przecież ma ciernie i czerwone jagody!

– I co z tego? – rzucił surowo Rincewind i spojrzał groźnie.

Dwukwiat załamał się pierwszy.

– Nic – przyznał pokornie. – Ktoś musiał mnie źle poinformować.

– Fakt.

– Ale tam pod nim rosną jakieś spore grzyby. Możemy je zjeść?

Rincewind zerknął ostrożnie. Grzyby istotnie były wyjątkowo duże i miały czerwone kapelusze w białe plamki. Należały do gatunku, który miejscowy szaman (w tej chwili o kilka mil dalej zaprzyjaźniał się ze skałą) jadłby dopiero po przywiązaniu solidnym powrozem własnej nogi do ciężkiego głazu. Mag nie miał innej możliwości – musiał wyjść na deszcz i obejrzeć je z bliska.

Przyklęknął na liściach i zajrzał pod kapelusz. Po chwili odezwał się słabym głosem:

– Nie, są całkowicie niejadalne.

– Dlaczego? – spytał Dwukwiat. – Czy blaszki mają niewłaściwy odcień?

– Nie, właściwie nie.

– W takim razie nóżka ma nieodpowiednie rurki?

– Wyglądają na odpowiednie.

– Zatem chodzi o kolor kapelusza – uznał Dwukwiat.

– Nie jestem pewien.

– No więc czemu nie możemy ich jeść?

Rincewind odchrząknął.

– To te małe drzwi i okna – wyjaśnił ponuro. – Trudno się pomylić.

Grom zahuczał nad Niewidocznym Uniwersytetem. Deszcz zalewał dachy i chlustał z pysków maszkaronów, chociaż jeden czy dwa sprytniejsze ukryły się szybko w labiryncie dachówek.

O wiele niżej, w Głównym Holu, ośmiu najpotężniejszych magów na Dysku stanęło w ramionach ceremonialnego oktogramu. Prawdę mówiąc, nie byli chyba najpotężniejsi, posiadali jednak niezwykłe zdolności przetrwania, co w pełnym współzawodnictwa świecie magii wychodzi praktycznie na to samo. Za każdym magiem ósmego stopnia stało przynajmniej pół tuzina magów stopnia siódmego, którzy próbowali zrzucić go ze stanowiska. Dlatego u poważnych czarowników rozwijała się swego rodzaju podejrzliwość wobec, dajmy na to, skorpionów znajdowanych w łóżku. Stare przysłowie podsumowuje to następująco: kiedy mag ma już dość szukania tłuczonego szkła w jedzeniu, ma już dość życia.

Najstarszy z obecnych, Greyhald Spold z Pradawnych i Jedynie Oryginalnych Mędrców Nieprzerwanego Kręgu, oparł się ciężko o swą rzeźbioną laskę i tymi słowy przemówił:

– Pospiesz się trochę, Weatherwax. Nogi mi cierpną.

Galder, który przerwał jedynie dla wywołania efektu, spojrzał spode łba.

– Dobrze więc. Będę się streszczał.

– Znakomicie.

– Wszyscy szukaliśmy rady w sprawie wydarzeń dzisiejszego ranka. Czy jest między nami ktoś, kto ją otrzymał?

Magowie zerkali na siebie spod oka. Nigdzie – poza bankietami na zjazdach związków zawodowych – nie spotyka się takiej wzajemnej nieufności i podejrzliwości jak na zebraniach wyższych stopniem czarnoksiężników. Było jednak oczywiste, że dzień nie przyniósł sukcesów. Rozmowne zwykle demony, przywołane pospiesznie z Piekielnych Wymiarów, spoglądały lękliwie i cofały się, gdy je wypytywano. Magiczne zwierciadła pękały. Z kart tarota w niewyjaśniony sposób znikały obrazki. Mgła wypełniała kryształowe kule. Nawet fusy herbaty, pogardzane zwykle jako zbyt frywolne i niegodne uwagi, kleiły się do siebie na dnach filiżanek i odmawiały wszelkich ruchów.

Krótko mówiąc, zebrani magowie trafili w ślepy zaułek. Rozległy się przeczenia.

– Proponuję zatem, byśmy dokonali Rytuału AshkEnte – rzekł dramatycznym tonem Galder.

Musiał przyznać, że oczekiwał żywszej reakcji, czegoś w rodzaju „Nie, tylko nie Rytuał AshkEnte! Człowiek nie powinien mieszać się do takich rzeczy!".

Tymczasem zabrzmiał ogólny pomruk aprobaty.

– Niezły pomysł.

– Brzmi rozsądnie.

– No, to do roboty.

Trochę rozczarowany Galder wezwał procesję młodszych magów, którzy wnieśli do holu rozmaite czarodziejskie przyrządy.

Wspomniano już, że bractwem magów wstrząsały w tym czasie dyskusje na temat metod praktykowania czarów.

Szczególnie młodsi magowie powtarzali, że sztuka czarnoksięska powinna zmienić swój wizerunek. Dość już zabaw z kawałkami wosku i kości. Należy wszystko odpowiednio zorganizować, uruchomić programy badawcze i trzydniowe konferencje w dobrych hotelach, gdzie uczestnicy mogliby wygłaszać referaty, jak choćby „Dokąd zmierza geomancja" albo „Rola butów siedmiomilowych w społeczeństwie opiekuńczym".

Trymon, na przykład, ostatnio prawie wcale nie czarował. Kierował za to Obrządkiem z dokładnością klepsydry, pisał mnóstwo not, a w gabinecie miał wielki wykres, cały w kolorowych kleksach, chorągiewkach i liniach, których nikt prócz niego właściwie nie rozumiał, ale które wywierały imponujące wrażenie.

Inny typ magów uważał takie poglądy za zwykły gaz bagienny. Nie chcieli mieć nic wspólnego z żadnymi wizerunkami, jeśli nie były zrobione z wosku i nie miały powbijanych igieł.

Przywódcy ośmiu obrządków należeli do grupy tradycjonalistów, co do maga. Dlatego przyrządy zgromadzone wokół oktogramu wyglądały zdecydowanie okultystycznie, bez żadnych udziwnień. Ze wszystkich stron leżały baranie rogi, czaszki, stały barokowe konstrukcje z metalu i grube świece. A przecież młodsi magowie odkryli, że Rytuału AshkEnte można dopełnić, używając tylko trzech małych kawałków drewna i czterech centymetrów sześciennych mysiej krwi.

Przygotowania wymagały zwykle kilku godzin, ale połączona moc najstarszych magów pozwoliła znacznie skrócić ten czas. Po zaledwie czterdziestu minutach Galder zaintonował ostatnie słowa zaklęcia. Zawisły przed nim na moment, nim się rozwiały.

Powietrze w środku oktogramu zamigotało, zawirowało i nagle stanęła tam wysoka mroczna postać. Czarny płaszcz z kapturem zakrywał ją prawie całą – prawdopodobnie tym lepiej. W dłoni ściskała kosę i trudno było nie zauważyć, że to, co powinno być palcami, jest tylko białymi kośćmi.

Druga koścista dłoń trzymała małe kostki sera i ananasa na patyczku.

CO JEST? – zapytał Śmierć głosem tak ciepłym i barwnym jak góra lodowa. BYŁEM NA BALU, dodał z lekkim wyrzutem.

– O Istoto Ziemi i Ciemności, nakazujemy ci porzucić... – zaczął Galder stanowczym, rozkazującym tonem.

Śmierć kiwnął głową.

TAK, TAK. ZNAM TO WSZYSTKO. PO CO MNIE WEZWALIŚCIE?

– Podobno możesz zajrzeć w przeszłość i przyszłość – wyjaśnił Galder odrobinę ponuro, ponieważ lubił wygłaszać tę wspaniałą mowę o przyzywaniu i nakazywaniu. Ludzie uważali, że dobrze w niej wypada.

TO SZCZERA PRAWDA.

– W takim razie możesz nam wytłumaczyć, co takiego zdarzyło się dzisiaj rano? – spytał Galder. Wyprostował się i dodał głośno: – Nakazuję ci w imię Azimrotha, T'chikela i...

DOBRA, DOBRA. ROZUMIEM, O CO CHODZI, przerwał mu Śmierć. A CZEGO KONKRETNIE CHCIELIBYŚCIE SIĘ DOWIEDZIEĆ? SPORO RZECZY ZASZŁO DZISIAJ RANO. LUDZIE RODZILI SIĘ I UMIERALI, WSZYSTKIE DRZEWA TROCHĘ UROSŁY, FALE NA MORZU TWORZYŁY CIEKAWE WZORY...

– Pytam o Octavo – wyjaśnił chłodno Galder.

O TO? OCH, TO ZWYKŁE DOSTROJENIE RZECZYWISTOŚCI. JAK ROZUMIEM, OCTAVO ABSOLUTNIE NIE CHCIAŁO UTRACIĆ SWOJEGO ÓSMEGO ZAKLĘCIA. A TO ZAKLĘCIE NAJWYRAŹNIEJ SPADAŁO Z DYSKU.

– Chwileczkę. – Galder poskrobał się po brodzie. – Czy mówimy o tym, które tkwi w głowie Rincewinda? Taki wysoki, trochę chudy? O tym, które on...

...KTÓRE PRZEZ TE LATA NOSIŁ W SWOJEJ GŁOWIE. TAK.

Galder zmarszczył czoło. Po co tyle zachodu? Wszyscy wiedzą, że kiedy umiera mag, wszystkie zaklęcia w jego głowie wydostają się na wolność. Więc po co się męczyć, żeby ratować Rincewinda? Zaklęcie w końcu samo dopłynęłoby z powrotem.

– Domyślasz się dlaczego? – zapytał bez zastanowienia. Opamiętał się jednak od razu i dodał szybko: – W imię Yrripha i Kcharli, nakazuję ci...

WOLAŁBYM, ŻEBYŚ PRZESTAŁ CIĄGLE TO POWTARZAĆ, mruknął Śmierć. WIEM TYLKO TYLE, ŻE WSZYSTKIE OSIEM ZAKLĘĆ MUSI ZOSTAĆ WYPOWIEDZIANE NARAZ, PODCZAS NAJBLIŻSZEJ NOCY STRZEŻENIA WIEDŹM. W PRZECIWNYM RAZIE DYSK BĘDZIE ZNISZCZONY.

– Głośniej tam! – zażądał Greyhald Spold.

– Zamknij się! – warknął Galder.

JA?

– Nie, on. Durny staruch...

– Słyszałem – oznajmił Spold. – Wy, młodzi...

Urwał. Śmierć przyjrzał mu się w zamyśleniu, jakby próbował zapamiętać jego twarz.

– Spokojnie – poprosił Galder. – Mógłbyś powtórzyć ostatnie zdanie? Dysk będzie jaki?

ZNISZCZONY, powtórzył Śmierć. MOGĘ JUŻ IŚĆ? ZOSTAWIŁEM DRINKA.

– Jeszcze chwilę. W imię Cheliliki, Orizone i tak dalej, co to znaczy „zniszczony"?

TO STAROŻYTNE PROROCTWO WYPISANE NA WEWNĘTRZNYCH MURACH WIELKIEJ PIRAMIDY TSORTU. ZNACZENIE SŁOWA „ZNISZCZONY" WYDAJE MI SIĘ DOŚĆ OCZYWISTE.

– To wszystko, co możesz nam zdradzić?

TAK.

– Ale do Nocy Strzeżenia Wiedźm zostały tylko dwa miesiące!

ISTOTNIE.

– Powiedz przynajmniej, gdzie jest teraz Rincewind!

Śmierć wzruszył ramionami. Był to gest, do którego jego budowa wyjątkowo się nadawała.

W LESIE SKUND, PO KRAWĘDZIOWEJ STRONIE GÓR RAM-
TOPU.
– Co on tam robi?
UŻALA SIĘ NAD SOBĄ.
– Aha.
MOGĘ JUŻ IŚĆ?
Galder z roztargnieniem skinął głową. Myślał z żalem o rytuale
odpędzenia, zaczynającym się od słów „Zniknij, ohydny cieniu" i mają-
cym kilka nieźle brzmiących wersów, które pilnie ćwiczył. Ale jakoś nie
potrafił wzbudzić w sobie entuzjazmu.
– A tak – powiedział. – Tak, oczywiście. Dziękuję ci. – Po czym, ja-
ko że nie należy robić sobie wrogów pośród istot nocy, dodał uprzej-
mie: – Mam nadzieję, że to udany bal.
Śmierć nie odpowiedział. Patrzył na Spolda w sposób, w jaki pies
spogląda na kości... Chociaż w tym przypadku było raczej odwrotnie.
– Powiedziałem: mam nadzieję, że to udany bal – powtórzył głoś-
niej Galder.
W TEJ CHWILI OWSZEM, odparł spokojnie Śmierć. OBAWIAM
SIĘ, ŻE O PÓŁNOCY NASTRÓJ SZYBKO SIĘ POGORSZY.
– Dlaczego?
SPODZIEWAJĄ SIĘ, ŻE WTEDY ZDEJMĘ MASKĘ.
Zniknął, pozostawiając tylko wykałaczkę i krótką papierową ser-
pentynę.

Całe to zajście miało swego niewidzialnego obserwatora.
Oczywiście działał on wbrew wszelkim regułom. Jednak Trymon wiedział o regułach wszystko i zawsze uważał, że dobre
są do stanowienia, nie do przestrzegania.
Zanim jeszcze ośmiu magów zaczęło poważną kłótnię o to, co właściwie miała na myśli mroczna zjawa, Trymon znalazł się już na głównym poziomie uniwersyteckiej biblioteki.
To miejsce budziło lęk. Wiele ksiąg było magicznych, a nie wolno
zapominać, że grimoire'y byłyby śmiertelnie groźne w rękach bibliotekarza, który dba o porządek. Dlatego mianowicie, że z pewnością
próbowałby je ustawić na jednej półce. Nie jest to dobry pomysł przy
książkach, z których wycieka magia. Więcej niż jedna, najwyżej dwie
obok siebie tworzą Czarną Masę Krytyczną. W dodatku wiele pomniejszych zaklęć jest bardzo wybrednych w kwestii sąsiadów, a niezado-

wolenie wyrażają zwykle, ciskając swe księgi po całej sali. I oczywiście zawsze trwa na wpół wyczuwalna obecność stworów z Piekielnych Wymiarów, które gromadzą się wokół magicznych przecieków i bezustannie sprawdzają szczelność murów rzeczywistości.

Stanowisko magicznego bibliotekarza, spędzającego całe dnie w takiej silnie naładowanej atmosferze, wiąże się ze sporym ryzykiem zawodowym.

Główny bibliotekarz siedział na blacie biurka i spokojnie obierając pomarańczę, doskonale zdawał sobie z tego sprawę.

Podniósł głowę, kiedy wszedł Trymon.

– Szukam czegoś na temat piramidy Tsortu – oznajmił Trymon. Przygotował się: wyjął z kieszeni banana.

Bibliotekarz z żalem popatrzył na owoc i ciężko zeskoczył na podłogę. Trymon poczuł, że w rękę wsuwa mu się miękka dłoń... Bibliotekarz pociągnął go za sobą, kołysząc się smutnie między półkami. Trymon miał uczucie, jakby trzymał małą skórzaną rękawiczkę.

Księgi wokół skwierczały i iskrzyły. Od czasu do czasu przypadkowy błysk bezkierunkowej magii strzelał do precyzyjnie ustawionych, przybitych do półek prętów uziemiających. W powietrzu unosił się metaliczny błękitny zapach, a na samej granicy słyszalności rozlegało się przerażające ćwierkanie piekielnych istot.

Jak wiele innych części Niewidocznego Uniwersytetu, biblioteka zajmowała przestrzeń większą, niżby na to wskazywały jej zewnętrzne wymiary. To dlatego że magia zakrzywia przestrzeń; poza tym była to chyba jedyna we wszechświecie biblioteka z półkami Möbiusa. Ale myślowy katalog bibliotekarza funkcjonował bez zarzutu. Zatrzymali się przed niebotycznym stosem gnijących ksiąg i orangutan skoczył w ciemność. Zaszeleścił papier i na Trymona spłynęła chmura kurzu. Bibliotekarz powrócił, ściskając cienki tomik.

– Uuk – powiedział.

Trymon ostrożnie ujął książkę.

Okładka była podrapana i miała ośle uszy. Złoto z liter dawno już się starło. Z trudem zdołał jednak odczytać słowa w starożytnym, magicznym języku Doliny Tsort: *O Wyelkyey Świyątyni Tsort, Historya Mystyczna*.

– Uuk? – zapytał nerwowo bibliotekarz.

Trymon ostrożnie przewracał kartki. Nie miał zdolności do języków. Zawsze uważał, że są mało efektywne i należałoby je zastąpić jakimś łatwym do zrozumienia systemem numerycznym. Uznał jednak, że książka jest dokładnie tym, czego szukał. Całe stronice pokryte były pełnymi znaczeń hieroglifami.

– Czy to jedyna książka, jaką masz na temat piramidy Tsortu? – zapytał wolno.

– Uuk.

– Jesteś pewien?

– Uuk.

Trymon zaczął nasłuchiwać. Z daleka dobiegały dźwięki kroków i dyskutujących głosów. Ale na to również się przygotował. Sięgnął do kieszeni.

– Może jeszcze jednego banana? – zaproponował.

Las Skund istotnie był zaczarowany, co na Dysku nie jest niczym niezwykłym. Był to również jedyny las w całym wszechświecie, zwany – w miejscowym języku – Twój Palec, Durniu. To dokładnie oznacza słowo Skund.

Przyczyna tego faktu jest niestety aż nazbyt prozaiczna. Kiedy pierwsi badacze z ciepłych krain wokół Morza Okrągłego dotarli do chłodnych obszarów w głębi lądu, wypełniali białe plamy na mapach, chwytając najbliższego tubylca, wskazując jakiś odległy element krajobrazu i bardzo wyraźnie, głośno zadając pytanie. Potem zapisywali to, co odpowiedziała im zaskoczona ofiara. I tak w całych generacjach atlasów zostały uwiecznione takie geograficzne cuda jak „Jakaś Góra", „Nie Wiem", „Co?" i oczywiście „Twój Palec, Durniu".

Deszczowe chmury zbierały się wokół nagiego szczytu Mount Oolskunrahod („Kim jest ten głupek, który nie wie, co to jest góra"). Bagaż usadowił się wygodniej pod ociekającym drzewem, które bez powodzenia usiłowało nawiązać z nim rozmowę.

Dwukwiat i Rincewind się spierali. Osoba, o którą się spierali, siedziała na swoim grzybie i obserwowała ich z zainteresowaniem. Wyglądała jak ktoś, kto pachnie jak ktoś, kto mieszka w grzybie. To niepokoiło maga.

– A dlaczego nie ma czerwonej czapeczki?

Rincewind się zawahał. Rozpaczliwie usiłował zgadnąć, o co właściwie chodzi Dwukwiatowi.

– Co? – zapytał, rezygnując.

– Powinien nosić czerwoną czapeczkę – upierał się Dwukwiat. – I z pewnością powinien być bardziej czysty, i chyba weselszy. Moim zdaniem on wcale nie wygląda na skrzata.

– Co ty opowiadasz?

– Spójrz na tę brodę – rzekł surowo Dwukwiat. – Lepsze brody widywałem na kawałkach sera.

– Posłuchaj – warknął Rincewind. – Ma sześć cali wzrostu i mieszka w grzybie. Oczywiście, że jest cholernym skrzatem.

– Na dowód mamy tylko jego słowo.

Rincewind zerknął na gnoma.

– Przepraszam na chwilę – rzucił. Odciągnął Dwukwiata na drugi koniec polany. – Słuchaj – wycedził przez zęby. – Gdyby miał piętnaście stóp wzrostu i twierdził, że jest olbrzymem, też jako dowód mielibyśmy tylko jego słowo.

– Mógłby być goblinem – oznajmił wyzywająco Dwukwiat.

Rincewind obejrzał się na małą figurkę, która pracowicie dłubała w nosie.

– No i co z tego? – burknął. – Skrzat, goblin, elf... jaka różnica?

– Elf nie – orzekł Dwukwiat stanowczo. – Elfy ubierają się na zielono, noszą spiczaste czapeczki, a z głów sterczą im takie jakby czułki. Widziałem na obrazkach.

– Gdzie?

Dwukwiat zawahał się i spuścił głowę, wpatrzony we własne stopy.

– Nazywała się chyba „szuru buru mrumru".

– Jak? Jak się nazywała?

Niski człowieczek z nagłym zainteresowaniem zaczął oglądać grzbiety własnych dłoni.

– „Książeczka Kwiatowych Wróżek" – wymruczał.

Rincewind spojrzał niepewnie.

– Czy to książka o tym, jak ich unikać? – zapytał.

– Nie – zapewnił pospiesznie Dwukwiat. – Mówi, gdzie ich szukać. Teraz przypominam sobie te obrazki. – Rozmarzył się wyraźnie, a Rincewind bezgłośnie jęknął. – Była nawet specjalna wróżka, która przychodziła po zęby.

– Co? Przychodziła i naprawdę wyrywała zęby...?

– Nie, nie zrozumiałeś. Dopiero kiedy wypadły. Wtedy trzeba było wsadzić ten ząb pod poduszkę, a wróżka przychodziła, zabierała go i zostawiała w zamian jedno *rhinu*.

– Po co?

– Co po co?

– Po co zbierała te zęby?

30

– Po prostu zbierała.

Rincewind wyobraził sobie dziwną istotę mieszkającą w zamku zbudowanym z samych zębów. Był to wizerunek, który wolałby jak najprędzej zapomnieć. Bezskutecznie.

– Ugrr – rzekł.

Czerwone czapeczki! Zastanawiał się, czy nie oświecić turysty, nie wytłumaczyć, jakie to życie, kiedy żaba stanowi dobry posiłek, królicza nora to schronienie przed deszczem, a sowa jest szybującą, bezszelestną grozą nocy. Spodnie ze skóry kreta wydają się może eleganckie, ale nie wtedy, gdy trzeba osobiście zdjąć je z prawowitego właściciela osaczonego w swojej jamie. Co do czerwonych czapeczek... ktokolwiek biegałby po lesie taki jaskrawy i z daleka widoczny, zajmowałby się tym bardzo, ale to bardzo krótko.

Chciał powiedzieć: życie gnomów i goblinów jest paskudne, brutalne i krótkie. Tak samo jak one.

Chciał to powiedzieć, ale nie mógł. Jak na człowieka, który rad by obejrzeć całą nieskończoność, Dwukwiat nigdy naprawdę nie opuścił granic swojej wyobraźni. Wyjawić mu prawdę to jakby kopnąć spaniela.

– Mii jii zii wiit – zabrzmiał głos przy prawej stopie maga.

Rincewind spojrzał w dół. Skrzat, który przedstawił się jako Swires, podniósł głowę. Rincewind miał talent do języków. Skrzat powiedział właśnie: „Zostało mi z wczoraj trochę koktajlu z traszek".

– Brzmi zachęcająco – stwierdził Rincewind.

Swires szturchnął go w kostkę.

– Ten drugi większy... dobrze się czuje? – zapytał z troską.

– Cierpi na szok rzeczywistości – wyjaśnił Rincewind. – Nie masz przypadkiem czerwonej czapeczki?

– Ciio?

– Tak tylko spytałem.

– Wiem, gdzie jest jedzenie dla większych – poinformował skrzat. – I schronienie. To niedaleko.

Rincewind zerknął na niskie niebo. Dzienne światło wyciekało z krajobrazu, a chmury wyglądały, jakby właśnie usłyszały o śniegu i rozważały tę ideę. Oczywiście istoty mieszkające w grzybach nie zawsze są godne zaufania... Ale w tej chwili mag na widok pułapki z przynętą w postaci gorącego posiłku i czystej pościeli zrobiłby wszystko, żeby w nią wpaść.

Ruszyli. Po krótkiej chwili Bagaż ostrożnie stanął na nogach i podążył za nimi.

– Psst!

Odwrócił się powoli, w złożonym rytmie przestawiając małe nóżki. Zdawał się spoglądać w górę.

– Czy to przyjemnie być stolarką? – zapytało z ciekawością drzewo. – Czy to bolało?

Bagaż jakby się zastanawiał. Każdy mosiężny uchwyt, każdy otwór emanował najwyższym skupieniem.

Po chwili wzruszył wiekiem i odszedł.

Drzewo westchnęło i zrzuciło z gałązek kilka zeschłych liści.

 Chatka była maleńka, pochylona i zdobiona jak haftowany obrus. Jakiś oszalały rzeźbiarz zaczął nad nią pracować, uznał Rincewind, i zanim go odciągnięto, stworzył niesamowity chaos. Drzwi i wszystkie okiennice miały swoje kiście drewnianych winogron, otwory w kształcie półksiężyców, na ścianach zaś masowo wyrastały kępy szyszek. Spodziewał się niemal, że z górnego okna wyskoczy za chwilę gigantyczna kukułka.

Zauważył też charakterystyczną oleistość atmosfery. Z palców tryskały mu drobne zielone i fioletowe iskierki.

– Silne pole magiczne. Co najmniej sto milithaumów*.

– Wszędzie pełno magii – oświadczył Swires. – Mieszkała tu kiedyś stara czarownica. Odeszła dawno temu, ale magia ciągle podtrzymuje działanie chatki.

– Te drzwi są jakieś dziwne – zauważył Dwukwiat.

– Po co chacie potrzebna magia? – zdziwił się Rincewind.

Dwukwiat ostrożnie dotknął ściany.

– Ona się lepi!

– Nugat – wyjaśnił Swires.

– Coś podobnego! Domek z piernika! Rincewindzie, prawdziwy...

Rincewind smętnie kiwnął głową.

– Tak... Szkoła Słodkiej Architektury. Nigdy się nie przyjęła.

Podejrzliwie przyjrzał się lukrecjowej kołatce.

---

* Thaum jest podstawową jednostką mocy magicznej. Powszechnie się uznaje, że jest to ilość magii niezbędna do stworzenia jednego małego białego gołębia albo trzech standardowych kul bilardowych.

– On się regeneruje – poinformował Swires. – Właściwie to cudowne. Dzisiaj nie spotyka się już takich miejsc. Trudno o pierniki.

– Naprawdę? – spytał ponuro Rincewind.

– Wejdźcie – zachęcił skrzat. – Tylko uważajcie na wycieraczkę.

– Czemu?

– Wata cukrowa.

Wielki Dysk obrócił się wolno pod spracowanym słońcem. Przez chwilę w zagłębieniach pozostały jeszcze kałuże światła, wreszcie spłynęły i one. Zapadła noc.

W zimnym pokoju w gmachu Niewidocznego Uniwersytetu Trymon wertował książkę. Poruszał wargami, wodząc palcem po liniach obcego starożytnego pisma. Dowiedział się, że Wielka Piramida Tsortu, dawno już nieistniejąca, zbudowana była z miliona trzech tysięcy dziesięciu bloków wapienia, a dziesięć tysięcy niewolników zginęło podczas budowy. Wyczytał, że mieściła w sobie labirynt ukrytych przejść, których ściany dekorowała podobno zbiorowa mądrość starożytnego Tsortu. Wysokość piramidy plus jej długość podzielona przez połowę szerokości wynosiła dokładnie 1,67563 albo 1237,98712567 razy więcej niż różnica między odległością od słońca a wagą małej pomarańczy. Na wzniesienie tej budowli poświęcono sześćdziesiąt lat.

Strasznie dużo wysiłku, pomyślał. I wszystko po to, żeby naostrzyć brzytwę.

W Lesie Skund, myśląc tęsknie o marynowanych cebulkach, Dwukwiat i Rincewind z zapałem przystąpili do konsumpcji piernikowej szafy.

Bardzo daleko zaś, ale na kursie kolizyjnym, najwspanialszy z bohaterów Dysku zrolował sobie papierosa, całkiem nieświadom roli, jaką wyznaczył mu los.

Dość niezwykły był przedmiot, który fachowo skręcał w palcach. Jak wielu wędrownych magów, od których nauczył się tej sztuki, miał zwyczaj chować niedopałki w skórzanej sakiewce i wykorzystywać je potem na świeże skręty. Żelazne prawo średnich stwierdzało zatem, że część tytoniu od wielu lat była spalana niemal bez przerwy. To coś, co bezskutecznie usiłował zapalić, było... właściwie można by z tego budować drogi.

Tak znakomitą reputacją cieszył się ów wojownik, że grupa barbarzyńskich jeźdźców zaprosiła go, by zasiadł z nimi przy ognisku z końskiego nawozu. Nomadowie pochodzili z regionów bliskich Osi i na zimę zwykle migrowali w stronę Krawędzi. Rozstawili swe wojłokowe namioty w straszliwym upale zaledwie trzech stopni i włóczyli się z nosami obłażącymi ze skóry, narzekając na groźbę udaru słonecznego.

– Jakie są najwspanialsze rzeczy w życiu mężczyzny? – zapytał wódz nomadów. Należy mówić o takich sprawach, aby zachować szacunek w kręgach barbarzyńców.

Siedzący po prawej wychylił koktajl z kobylego mleka zmieszanego z krwią śnieżnej pantery, po czym przemówił:

– Ostry horyzont stepu, wiatr we włosach i świeży koń pod siodłem.

– Krzyk białego orła na wysokości, śnieg padający w lesie i celna strzała na cięciwie – oświadczył ten z lewej.

Wódz pokiwał głową.

– Jest to z pewnością widok twego wroga leżącego bez życia, hańba jego szczepu i lamenty jego kobiet – stwierdził.

Wokół rozległy się pomruki aprobaty wobec tak skandalicznych przechwałek.

Wódz zwrócił się z szacunkiem do gościa, niewielkiej postaci starannie rozgrzewającej przy ogniu ślady odmrożeń.

– Oto gość nasz, którego imię jest legendą – powiedział. – On nam powie, co jest najwspanialszego w życiu mężczyzny.

Gość przerwał kolejną nieudaną próbę zapalenia papierosa.

– Czo mówiłeś?

– Pytałem, jakie są najwspanialsze rzeczy w życiu?

Wojownicy pochylili się. Warto będzie tego posłuchać.

Gość zastanawiał się dość długo i w skupieniu. I po pewnym czasie oświadczył:

– Gorąca woda, dobre zęby i miękki papier toaletowy.

Nad kowadłem płonął jaskrawy oktarynowy blask. Obnażony do pasa Galder Weatherwax, kryjąc twarz za maską z dymnego szkła, spojrzał w tę światłość i z chirurgiczną precyzją opuścił młot. Magia zgrzytała i wiła się w obcęgach, ale on pracował uparcie, przekuwając ją w linię udręczonego ognia.

Skrzypnęła deska podłogi. Galder stroił deski przez wiele godzin, co zawsze jest rozsądnym środkiem ostrożności, gdy ma się asystenta, który chodzi jak kot.

Fis... To znaczy, że stoi tuż przy drzwiach, po prawej stronie.

– Witaj, Trymonie – powiedział, nie odwracając głowy. Z satysfakcją usłyszał za sobą głośniejszy oddech. – Miło, że wpadłeś. Zamknij drzwi, dobrze?

Trymon, z twarzą bez żadnego wyrazu, pchnął ciężkie drzwi. Z półki nad nimi obserwowały go z ciekawością najrozmaitsze niemożliwości kołyszące się lekko w słojach z marynatą.

Jak wszystkie pracownie magów, i ta wyglądała, jakby taksidermista wstawił wszystkie swoje okazy do kuźni, po czym stoczył walkę z oszalałym dmuchaczem szkła, przy okazji rozbijając głowę przechodzącemu krokodylowi (zwierzę wisiało pod sufitem i silnie pachniało kamforą). Były tu lampy i pierścienie – Trymona aż świerzbiały ręce, aby je potrzeć – oraz zwierciadła, które wyglądały, jakby opłacało się spojrzeć w nie po raz drugi. Para siedmiomilowych butów drżała niespokojnie w swojej klatce. Cała biblioteka grimoire'ów, nie tak potężnych jak Octavo, ale jednak ciężkich od czarów, zaskrzypiała i zaklekotała łańcuchami, czując na sobie pożądliwe spojrzenie maga. Pierwotna moc wszelakich instrumentów poruszała go jak nic na świecie, choć nie pochwalał teatralnych skłonności rektora.

Na przykład przypadkiem wiedział, że zielona ciecz, bulgocząca tajemniczo w labiryncie pozwijanych rurek na ławie, to zwykła zielona farba zmieszana z mydłem. Wiedział, ponieważ przekupił jednego ze służących Galdera.

Pewnego dnia, pomyślał, wszystko to pójdzie na śmietnik. Począwszy od tego przeklętego krokodyla.

Kostki mu pobielały...

– Gotowe – stwierdził Galder wesoło. Odwiesił fartuch i usiadł w fotelu na kaczych nogach, z poręczami w kształcie lwich łap. – Posłałeś mi to notocóstam.

Trymon wzruszył ramionami.

– Notatkę. Zauważyłem jedynie, panie, że wszystkie Obrządki wysłały agentów do Lasu Skund, aby odzyskać zaklęcie. Tymczasem ty nie robisz nic. Nie wątpię, że w odpowiednim czasie zdradzisz tego przyczyny.

– Twoja wiara mnie zawstydza.

– Mag, który zdobędzie zaklęcie, zasłuży na wielkie zaszczyty... on i jego Obrządek. Inni użyli butów i wszelkiego typu czarów przenoszenia. Czego ty proponujesz użyć, panie?

– Czyżbym wyczuł w twoim głosie nutę sarkazmu?

– Absolutnie nie, panie.

– Nawet odrobinki?

– Nawet najmniejszej odrobinki, panie.

– To dobrze. Ponieważ nigdzie nie zamierzam się ruszać.

Galder sięgnął po książkę. Wymruczał polecenie i otworzyła się z trzaskiem. Zakładka, podejrzanie podobna do języka, cofnęła się w głąb okładki.

Mag pogrzebał przy poduszce na siedzeniu i wyjął niedużą skórzaną sakiewkę z tytoniem i fajkę rozmiarów pieca do spalania odpadów. Z wprawą człowieka nieodwracalnie uzależnionego od nikotyny skruszył w palcach grudkę tytoniu i ubił ją w cybuchu. Pstryknął palcami i błysnął ogień. Zaciągnął się głęboko, westchnął z satysfakcją...

...i podniósł głowę.

– Jeszcze tu jesteś, Trymonie?

– Wezwałeś mnie, panie – odparł spokojnie Trymon. A przynajmniej tyle powiedział na głos. W głębi jego szarych oczu migotał najdelikatniejszy błysk, który mówił wyraźnie, że ma spisane wszystkie lekkie, pełne wyższości uśmieszki, wszystkie łagodne wyrzuty i domyślne spojrzenia, a za każde z nich żywy mózg Galdera spędzi jeden rok w kwasie.

– A tak, istotnie. Wybacz staremu człowiekowi ten brak pamięci – rzucił uprzejmie Galder.

Zamknął książkę, którą już zaczął czytać.

– Nie podoba mi się to zamieszanie – oznajmił. – Bardzo widowiskowe bywa takie bieganie z zaczarowanymi dywanami i tak dalej, ale według mnie to nie jest prawdziwa magia. Weź na przykład siedmiomilowe buty. Gdyby Bóg chciał, żeby ludzie pokonywali jednym krokiem siedem mil, z pewnością dałby nam dłuższe nogi... O czym to mówiłem?

– Nie jestem pewien – odparł zimno Trymon.

– A tak. To dziwne, że w bibliotece nie znaleźliśmy nic na temat piramidy Tsortu. Można by sądzić, że coś tam będzie, nieprawdaż?

– Bibliotekarz zostanie ukarany, naturalnie.

Galder zerknął na niego z ukosa.

– Nic drastycznego – rzekł. – Można na przykład wstrzymać mu dostawy bananów.

Przez chwilę przyglądali się sobie czujnie.

Galder załamał się pierwszy – takie skupione wpatrywanie się w Trymona zawsze budziło nieprzyjemny niepokój. To było tak, jakby spojrzeć w lustro i stwierdzić, że nie ma tam nikogo.

– W każdym razie – podjął – może to dziwne, ale gdzie indziej znalazłem coś pomocnego. Na moich własnych skromnych półkach. To dziennik Skrelta Changebasketa, założyciela naszego obrządku. Czy wiesz, porywczy młodzieńcze, który natychmiast chciałbyś wyruszać w drogę, co się dzieje, kiedy umiera mag?

– Wszystkie zapamiętane przez niego zaklęcia wypowiadają się same – odparł Trymon. – To jedna z pierwszych rzeczy, których nas uczą.

– Tymczasem zasada ta nie dotyczy oryginalnych Ośmiu Wielkich Zaklęć. Dzięki głębokim studiom Skrelt się dowiedział, że Wielkie Zaklęcie ucieknie tylko do najbliższego umysłu, który znajdzie otwarty i gotów na jego przyjęcie. Przesuń tu to wielkie lustro, dobrze?

Rektor wstał i począłapał do kowadła przy całkiem już wystygłym palenisku. Pasmo magii wciąż się wiło, równocześnie obecne i nieobecne, jak szczelina wycięta w innym wszechświecie, pełnym gorącego niebieskiego światła. Galder podniósł je bez trudu, zdjął ze stojaka długi łuk i z satysfakcją obserwował, jak magia chwyta oba końce i zgina trzeszczące drewno. Potem wybrał strzałę.

Trymon wyciągnął na środek ciężkie wysokie lustro. Kiedy zostanę przywódcą obrządku, myślał, na pewno nie będę chodził w takich pluszowych kapciach.

Trymon, o czym wspomniano już wcześniej, uważał, że wiele może pomóc świeża krew, jeśli tylko wytnie się uschłe gałęzie. W tej chwili jednak był szczerze zaciekawiony, co nowego planuje ten stary dureń.

Odczułby niejaką satysfakcję, gdyby wiedział, że zarówno Galder, jak i Skrelt Changebasket całkowicie się mylili.

Rektor wykonał kilka gestów przed lustrem, które zaszło mgłą i oczyściło się, ukazując widok z lotu ptaka na Las Skund. Przyglądał mu się z uwagą, równocześnie trzymając łuk i strzałę wymierzoną mniej więcej w sufit. Wymruczał parę słów w stylu „wziąć poprawkę na wiatr o prędkości, powiedzmy, trzech węzłów" czy „uwzględnić temperaturę". Wreszcie, ruchem całkiem nieefektownym, wypuścił strzałę.

Gdyby prawa akcji i reakcji miały tu coś do powiedzenia, strzała powinna opaść na ziemię kilka stóp od łuku. Jednak tu nikt ich nie słuchał.

Strzała zniknęła z dźwiękiem niepoddającym się opisowi. Jednak, by uzupełnić obraz sytuacji, można uznać, iż był to zasadniczo „spang!" plus trzy dni ciężkiej pracy w dowolnym, solidnie wyposażonym warsztacie elektronicznym.

Galder odrzucił łuk i uśmiechnął się.

– Oczywiście potrzebuje co najmniej godziny, żeby tam dotrzeć – poinformował. – A potem zaklęcie przepłynie wzdłuż zjonizowanej ścieżki aż tutaj. Do mnie.

– Zdumiewające – stwierdził Trymon.

Jednak każdy przechodzący telepata odczytałby w jego myślach litery wysokie na pięć sążni: „Jeśli do ciebie, to czemu nie do mnie?". Zerknął na zawalony przyrządami pulpit i nagle długi i bardzo ostry nóż wydał mu się wręcz stworzony do tego, co znienacka przyszło mu do głowy.

Przemoc nie należała do zajęć, w które lubił się angażować. Sytuacja była jednak wyjątkowa: piramida Tsortu wyraźnie mówiła o nagrodzie czekającej tego, kto w odpowiedniej chwili posiądzie wszystkie osiem zaklęć. Trymon nie zamierzał pozwolić, by lata ciężkiej pracy poszły na marne tylko dlatego, że jakiś stary dureń wpadł na dobry pomysł.

– W oczekiwaniu na powrót wypijesz może filiżankę kakao? – Galder poczłapał przez pokój, żeby zadzwonić na służbę.

– Chętnie. – Trymon podniósł nóż i zważył go w dłoni. – Muszę ci pogratulować, panie. Zaiste, bardzo wcześnie musi wstawać ten, kto chciałby cię wyprzedzić.

Galder się roześmiał. A nóż wyfrunął z dłoni Trymona z taką prędkością, że (ze względu na dość leniwą naturę światła na Dysku) stał się odrobinę krótszy i bardziej masywny, gdy z idealną precyzją mknął w stronę krtani Galdera.

Nie dotarł do niej. Skręcił w bok i zaczął krążyć – tak szybko, że wydało się nagle, iż rektor nosi metalowy kołnierz. Mag odwrócił się i Trymon miał wrażenie, że jego mistrz urósł nagle o kilka stóp i stał się potężniejszy.

Nóż wyrwał się z orbity i dygocząc, trafił w drzwi, o grubość cienia od ucha Trymona.

– Wcześnie? – rzucił uprzejmie Galder. – Mój drogi chłopcze, musiałbyś wcale się nie kłaść.

– Może jeszcze kawałek stołu – zaproponował Rincewind.

– Dziękuję, nie lubię marcepanu – odparł Dwukwiat. – Zresztą uważam, że nie należy zjadać cudzych mebli.

– Nie przejmuj się – uspokoił go Swires. – Tej starej wiedźmy nikt tu nie widział od lat. Podobno wykończyła ją ostatecznie na dobre parka dzieciaków, które uciekły z domu.

– Dzisiejsza młodzież – mruknął Rincewind.

– Moim zdaniem to wina rodziców – oświadczył Dwukwiat.

Kiedy człowiek już się przyzwyczaił, domek z piernika był wcale przytulny. Resztkami magii utrzymywany w niezłym stanie, omijany przez miejscowe dzikie zwierzęta, które nie zdechły jeszcze na śmiertelną próchnicę zębów, był wygodnym lokum. Lukrecjowe drwa na kominku płonęły jasno i strzelały iskrami; Rincewind chciał nazbierać chrustu, ale zrezygnował. Trudno palić drewnem, które zaczyna rozmowę.

Czknął.

– To niezdrowe – stwierdził. – A właściwie dlaczego słodycze? Dlaczego nie krakersy i ser? Albo salami? Nie odmówiłbym porządnej sofy z salami.

– Nie mam pojęcia – odparł Swires. – Stara robiła słodycze. Powinniście zobaczyć jej bezy.

– Widziałem – oznajmił Rincewind. – Oglądałem materace.

– Pierniki są bardziej tradycyjne – zauważył Dwukwiat.

– Co? Na materace?

– Nie żartuj. Czy ktoś słyszał o materacach z piernika?

Rincewind burknął coś pod nosem. Myślał o Ankh-Morpork, a ściśle mówiąc o jedzeniu w Ankh-Morpork. To zabawne, ale miasto wydawało mu się tym atrakcyjniejsze, im bardziej się od niego oddalał. Wystarczyło zamknąć oczy, by widzieć – ze szczegółami, od których ciekła ślinka – stragany z potrawami setek różnych kultur. Mógłby zjeść squishi albo zupę z płetwy rekina tak świeżą, że pływacy woleli omijać ją z daleka. Albo...

– Jak myślisz, mógłbym kupić ten domek? – zapytał Dwukwiat.

Rincewind się zawahał. Zawsze lepiej było dobrze przemyśleć odpowiedzi na co bardziej zaskakujące pytania Dwukwiata.

– Po co? – rzucił ostrożnie.

– Wręcz pachnie tu nastrojowością.

– Aha.

– A co to jest nastrojowość? – spytał Swires. Podejrzliwie pociągnął nosem i zrobił minę, która świadczyła wyraźnie, że cokolwiek to jest, on nie ma z tym nic wspólnego.

– Myślę, że to gatunek żaby – wyjaśnił mag. – W każdym razie nie możesz kupić tego domku, bo nie ma nikogo, od kogo mógłbyś go kupić...

– Chyba potrafiłbym to jakoś załatwić... oczywiście w imieniu rady lasu – wtrącił Swires, starając się unikać wzroku Rincewinda.

39

– ...a zresztą i tak nie mógłbyś go ze sobą zabrać. Przecież nie za-
pakowałbyś do Bagażu całego domku, prawda? – Rincewind wskazał
Bagaż, który leżał przy kominku i w zupełnie niepojęty sposób wyglądał jak zadowolony, ale czujny tygrys. Potem Rincewind spojrzał na
Dwukwiata i zmartwiał. – Prawda? – powtórzył.

Nie potrafił się jakoś pogodzić z faktem, że wnętrze Bagażu istnia-
ło jakby w innym świecie niż zewnętrze. Był to oczywiście tylko
produkt uboczny ogólnej niezwykłości. Niepokoił jednak. Czasem
Dwukwiat wypełniał Bagaż po brzegi brudnymi koszulami i starymi
skarpetkami, po czym otwierał wieko, odsłaniając stos czystej, poukła-
danej bielizny, lekko pachnącej lawendą. Ponadto kupował sporo
fascynujących wytworów tubylczych czy też, jak Rincewind by je na-
zwał, śmieci. I nawet siedmiostopowy drąg do ceremonialnego łechta-
nia świń zmieścił się w Bagażu jakoś bez trudu i nigdzie, zupełnie
nigdzie nie wystawał.

– Nie wiem – stwierdził Dwukwiat. – Ty jesteś magiem. Powinieneś znać się na takich sprawach.

– No tak, oczywiście... ale magia pakowawcza to sztuka wysoce
specjalistyczna. Zresztą skrzaty na pewno nie zechcą go sprzedać. Jest
przecież... jest... – Przeszukał to, co zapamiętał z obłąkanego słownic-
twa Dwukwiata. – Jest atrakcją turystyczną.

– Co to znaczy? – zainteresował się Swires.

– Że wielu ludzi, takich jak on, przyjedzie tu, żeby ten domek
obejrzeć.

– A po co?

– Ponieważ... – Rincewind szukał odpowiednich słów. – Jest fascynu-
jący. Eee... staroświecki. Folklor. I ten... tego... wspaniały przykład zapo-
mnianej sztuki ludowej, wzniesiony w tradycji wieków dawno minionych.

– Naprawdę? – Swires rozejrzał się zdumiony.

– Tak.

– Wszystko to, co powiedziałeś?

– Obawiam się, że tak.

– Pomogę wam go spakować.

Trwa ta noc, pod zasłoną chmur okrywających prawie cały Dysk.
Jest to szczęśliwy zbieg okoliczności, ponieważ kiedy niebo się oczyści
i astrologowie zobaczą je wyraźnie, zdenerwują się bardzo i rozgniewają.

W różnych częściach lasu grupy magów gubią się, krążą w koło,
ukrywają się przed sobą nawzajem i irytują, ponieważ ile razy wpadną

na drzewo, ono przeprasza. Mimo to, choć w nierównym tempie, wielu z nich coraz bardziej zbliża się do domku...

To dobra okazja, by powrócić do labiryntu pomieszczeń Niewidocznego Uniwersytetu, szczególnie zaś do komnat Greyhalda Spolda. W chwili obecnej jest on najstarszym magiem na Dysku i zamierza utrzymać ten tytuł.

Właśnie został straszliwie zaskoczony i przestraszony.

Przez ostatnie kilka godzin miał mnóstwo zajęć. Owszem, był może głuchy i trochę ciężko myślący, ale jak wszyscy podstarzali magowie posiadał silnie rozwinięty instynkt przetrwania. Wiedział, że kiedy wysoka postać w czarnej szacie i z najnowocześniejszym narzędziem rolniczym w ręku zaczyna się człowiekowi pilnie przyglądać, znaczy to, że nadeszła pora działania. Zwolnił służących. Zapieczętował drzwi pastą ze sproszkowanych ważek. Na oknach wykreślił ochronne oktogramy. Kosztowne, silnie pachnące olejki rozlał na podłodze we wzory sugerujące, że ich twórca jest pijany albo pochodzi z innego wymiaru... możliwe, że jedno i drugie. W samym środku komnaty wyrysował ośmiokrotny oktogram Powstrzymania i rozstawił dookoła czerwone i zielone świece. Pośrodku oktogramu stanęła wyłożona czerwonym jedwabiem i kolejnymi amuletami ochronnymi skrzynia z drewna krętoprotnej sosny, która dożywa wyjątkowo późnego wieku. Greyhald Spold wiedział bowiem, że Śmierć go szuka, i wiele lat poświęcił na zbudowanie kryjówki, gdzie nie zdoła on przeniknąć.

Właśnie ustawił skomplikowany mechanizm zamka i zatrzasnął klapę. Położył się, wiedząc, że oto stworzył idealną obronę przed najgorszym ze swych wrogów. Jak dotąd nie zastanowił się jeszcze nad ważną rolą, jaką w przedsięwzięciu tego rodzaju odgrywają otwory wentylacyjne.

A z boku, tuż nad jego uchem, odezwał się głos:
CIEMNO TU, PRAWDA?

Prószył śnieg. Słodowe okna domku świeciły w mroku jasno i wesoło.

Na brzegu polanki rozjarzyły się nagle trzy maleńkie czerwone punkciki i zabrzmiał ciężki kaszel.

– Zamknij się – warknął mag trzeciego stopnia. – Usłyszą nas!

– Kto? Chłopców z Bractwa Sztukmistrzów zgubiliśmy na bagnach. A idioci z Rady Szacownych Proroków i tak zmylili kierunek.

– Fakt – odezwał się najmłodszy z magów. – Ale kto bez przerwy się do nas odzywa? To podobno magiczny las, pełen goblinów, wilków i...

– Drzew – podpowiedział głos z ciemności, wysoko w górze. Był wyraźnie drewniany i skrzypiący.

– Tak – przyznał najmłodszy mag. Zaciągnął się niedopałkiem i zadrżał.

Przywódca grupy wychylił się zza głazu i obejrzał domek.

– No dobrze – oznajmił. Stuknął fajką o obcas siedmiomilowych butów, które zaprotestowały skrzypnięciem. – Wpadamy do środka, łapiemy ich i znikamy. Jasne?

– Jesteś pewien, że to tylko ludzie? – upewnił się nerwowo najmłodszy.

– Oczywiście, że jestem pewien – warknął przywódca. – A czego się spodziewasz? Trzech niedźwiadków?

– Mogą to być potwory. W takich lasach zwykle żyją potwory.

– I drzewa – dodał przyjazny głos spośród gałęzi.

– Tak – zgodził się ostrożnie przywódca.

Rincewind ostrożnie obejrzał łóżko. Było całkiem przyjemne, nieduże, w stylu twardych toffi zdobionych karmelem, ale wolałby raczej je zjeść niż w nim spać. W dodatku wyglądało, jakby już ktoś go skosztował.

– Ktoś jadł moje łóżko – oświadczył.

– Lubię toffi – usprawiedliwił się Dwukwiat.

– Jak nie będziesz się pilnował, to przyjdzie zębowa wróżka i zabierze ci wszystkie zęby – ostrzegł Rincewind.

– Nie, to elfy – odezwał się Swires znad toaletki. – Elfy je zabierają. I jeszcze paznokcie z palców u nóg. Czasami są bardzo drażliwe... te elfy.

Dwukwiat usiadł ciężko na łóżku.

– Coś pomyliłeś – oświadczył. – Elfy są szlachetne, piękne, mądre i dobre. Jestem pewien, że gdzieś o tym czytałem.

Swires i kolano Rincewinda wymienili znaczące spojrzenia.

– Myślisz chyba o innym gatunku elfów – wyjaśnił Swires powoli. – Tu, u nas, mieszkają całkiem inne. Chociaż trudno je nazwać porywczymi – dodał pospiesznie. – Chyba że ktoś chce własne zęby donieść do domu w kapeluszu.

Rozległ się cichy, ale wyraźny dźwięk otwieranych nugatowych drzwi. A równocześnie z przeciwnej strony dobiegł leciutki brzęk, jakby kamień możliwie cicho wybijał słodową szybę.

– Co to było? – spytał Dwukwiat.

– Które co? – uściślił Rincewind.

O parapet głucho stuknęła gałąź.

– Elfy! – krzyknął Swires, skoczył do mysiej dziury i zniknął.

– Co robimy? – zapytał Dwukwiat.

– Wpadamy w panikę? – zaproponował z nadzieją Rincewind. Zawsze uważał, że panika jest najlepszą metodą ujścia z życiem. W dawnych latach, jak tłumaczył swoją teorię, ludzie spotykający wygłodniałe szablozębne tygrysy dzielili się na tych, którzy wpadali w panikę, i tych, co stali w miejscu, powtarzając „Cóż za przepiękna bestia" albo „Kici kici".

– Tam jest komórka. – Dwukwiat wskazał wąskie drzwiczki wciśnięte między ścianę i komin.

Ukryli się w słodkiej wilgotnej ciemności.

Na zewnątrz zatrzeszczała czekoladowa podłoga.

– Słyszałem głosy – powiedział ktoś.

– Tak – odpowiedział mu ktoś inny. – Na dole. To pewnie sztukmistrze.

– Mówiłeś przecież, że ich zgubiliśmy!

– Słuchajcie, ten dom jest jadalny! Można go zjeść!

– Zamknij się!

Zabrzmiały kolejne trzaski i stłumiony krzyk, gdy szacowny prorok, skradając się czujnie w ciemności, nadepnął na palce ukrytego pod stołem sztukmistrza. Zasyczała uwalniana magia.

– Dranie! – zawołał głos z zewnątrz. – Mają go! Znikamy!

Znowu trzaski. I wreszcie cisza.

– Rincewindzie – odezwał się po chwili Dwukwiat. – Wydaje mi się, że w tej komórce jest miotła.

– Co w tym dziwnego?

– Że ona ma uchwyty.

Z dołu zabrzmiał przeraźliwy krzyk. To któryś z czarodziejów próbował w ciemności otworzyć wieko Bagażu. Huk od strony spiżarni świadczył o nadejściu grupy Oświeconych Magów Nieprzerwanego Kręgu.

– Jak myślisz, czego oni tu szukają? – szepnął Dwukwiat.

– Nie wiem, ale chyba lepiej się tego nie dowiadywać – odparł po namyśle Rincewind.

– Może masz rację.

Rincewind ostrożnie pchnął drzwi. Nikogo nie było. Na palcach podbiegł do okna i spojrzał na zwrócone w górę twarze Braci Obrządku Północy.

– To on!

Wycofał się jak najszybciej i pobiegł do schodów.

Scena na dole była nie do opisania... Ponieważ jednak za panowania Olafa Quimby II takie stwierdzenie groziło karą śmierci, lepiej podejmiemy próbę. Przede wszystkim większość obecnych magów usiłowała rozjaśnić pomieszczenie rozmaitymi płomieniami, ognistymi kulami i czarodziejskimi poświatami, a rezultat tych prób przywodził na myśl dyskotekę w fabryce lamp stroboskopowych. Każdy starał się zająć pozycję, z której mógłby obserwować wszystkich pozostałych, jednocześnie nie narażając się na ataki. I absolutnie każdy chciał trzymać się jak najdalej od Bagażu, który zapędził w kąt dwóch szacownych proroków i groźnie kłapał wiekiem na wszystkich, którzy się zbliżali. Mimo to jeden z magów przypadkiem zerknął w górę.

– To on!

Rincewind odskoczył i coś wpadło mu na plecy. Obejrzał się szybko i wytrzeszczył oczy, widząc Dwukwiata siedzącego na miotle... która płynęła w powietrzu.

– Czarownica musiała jej zapomnieć – wyjaśnił Dwukwiat. – To prawdziwa latająca miotła.

Rincewind się zawahał. Z miotły strzelały oktarynowe iskry, a on nie lubił wysokości prawie najbardziej ze wszystkiego. Jednak w gruncie rzeczy najbardziej ze wszystkiego nie lubił widoku dziesiątki rozzłoszczonych i antypatycznych magów, którzy pędzą ku niemu po schodach. A to właśnie widział.

– Zgoda – rzekł. – Ale ja prowadzę.

Kopnął maga, który doszedł już do połowy Zaklęcia Spętania. Wskoczył na stylisko. Miotła spłynęła nad schodami, po czym odwróciła się dołem do góry, przez co Rincewind znalazł się oko w oko z bratem Obrządku Północy.

Wrzasnął i konwulsyjnie szarpnął uchwyty kierownicy.

Kilka rzeczy wydarzyło się wtedy jednocześnie. Miotła pomknęła do przodu i w ulewie okruchów przebiła ścianę; Bagaż podskoczył i ugryzł brata Północy w nogę; a także z niezwykłym świstem znikąd pojawiła się strzała, o kilka cali minęła Rincewinda i z głośnym stukiem trafiła w wieko Bagażu.

Bagaż zniknął.

 W małej wiosce w głębi lasu stary szaman dorzucił do ognia kilka gałązek i przez dym spojrzał na zawstydzonego ucznia.

– Skrzynia z nogami? – zapytał.

– Tak, mistrzu. Spadła z nieba i popatrzyła na mnie.

– Miała więc oczy ta skrzynia?

– N... – zaczął niepewnie uczeń i przerwał.

Starzec zmarszczył brwi.

– Wielu oglądało Topaxci, boga czerwonego grzyba, i ci zasłużyli na imię szamana – oświadczył. – Niektórzy widzieli Skelde, ducha dymu, i tych nazywamy czarownikami. Nieliczni dostąpili łaski ujrzenia Umcherrel, duszy lasu, i ci znani są jako władcy duchów. Nikt jednak nie spotkał skrzyni z setkami nóżek, bo tych zwalibyśmy idio...

Do przerwania zmusił go nagły krzyk, zawierucha śniegu i iskier. Głownie rozsypały się po całej chacie. Mignęła krótkotrwała, niewyraźna wizja, coś rozniosło ścianę i zjawisko zniknęło.

Przez długą chwilę trwała cisza. Potem trwała przez chwilę nieco krótszą. Wreszcie stary szaman odezwał się niepewnie.

– Nie widziałeś przypadkiem dwóch ludzi, którzy lecieli do góry nogami na miotle, wrzeszczeli i krzyczeli na siebie nawzajem?

Chłopiec spojrzał na niego spokojnie.

– Z pewnością nie – odparł.

Starzec westchnął z ulgą.

– Dzięki niech będą bogom – rzekł. – Ja też nie.

 W domku panował chaos, ponieważ nie tylko każdy z magów chciał ścigać miotłę, ale też każdy próbował uniemożliwić to pozostałym. Doprowadziło to do serii pożałowania godnych wypadków. Najbardziej spektakularny, a przy tym najbardziej tragiczny zdarzył się, gdy jeden z proroków chciał użyć swych siedmiomilowych butów, pomijając odpowiednie wstępne zaklęcia i przygotowania. Siedmiomilowe buty, jak już wspomniano, są w najlepszym razie dość kapryśną formą magii. Prorok zbyt późno sobie przypomniał, że najwyższej ostrożności wymaga metoda transportu, której efektywność –

skoro już mowa o konkretach – opiera się na próbie ustawienia jednej stopy podróżnego o siedem mil od drugiej.

Szalały już pierwsze śnieżne burze i trzeba przyznać, że większą część Dysku okrywały podejrzanie gęste chmury. A mimo to z góry, w srebrzystym świetle maleńkiego księżyca, Dysk był jednym z najpiękniejszych widoków w całym multiwersum.

Długie na setki mil wstęgi chmur sięgały spiralami od wodospadu na Krawędzi aż do Osi. W lodowatej, kryształowej ciszy pasma te migotały jak szron w blasku gwiazd, wirując prawie niezauważalnie, zupełnie jakby Bóg najpierw zamieszał kawę w filiżance, a potem dolał śmietanki.

Nic nie zakłócało tej wspaniałej sceny, która...

Coś małego i dalekiego przebiło warstwę chmur, ciągnąc za sobą strzępy pary. W stratosferycznej ciszy kłótnia rozbrzmiewała wyraźnie i głośno.

– Mówiłeś, że umiesz nimi latać!
– Wcale nie! Powiedziałem tylko, że ty nie umiesz!
– Przecież nigdy nie próbowałem!
– Cóż za zbieg okoliczności!
– Ale powiedziałeś... Popatrz na niebo!
– Tego nie mówiłem!
– Co się stało z gwiazdami?

I w taki to sposób Rincewind i Dwukwiat, jako pierwsi ludzie na Dysku, dowiedzieli się, co skrywa przyszłość. Tysiąc mil za nimi osiowy szczyt Cori Celesti wbijał się w niebo i na wrzące chmury rzucał cień jasny jak klinga, tak że bogowie również powinni coś zauważyć... Jednak bogowie rzadko spoglądają w niebo, zresztą w tej chwili zajęci byli sporem z Lodowymi Gigantami, którzy nie chcieli przyciszyć radia.

Poza Krawędzią, tam dokąd płynął Wielki A'Tuin, coś wymiotło z nieba gwiazdy. Pozostała tylko jedna, czerwona i złowieszcza, gwiazda jak błysk w oku wściekłej nutrii. Była niewielka, przerażająca i nieustępliwa. A Dysk sunął prosto na nią.

Rincewind dokładnie wiedział, jak się zachować w takiej sytuacji. Wrzasnął i skierował miotłę prosto w dół.

Galder Weatherwax stanął pośrodku oktogramu i wzniósł ramiona.

– Urshalo, dileptor, c'hula, wypełnijcie moje rozkazy!

Obłoczek mgły uformował mu się nad głową. Trymon stał ponury na brzegu magicznego kręgu. Mag zerknął na niego.

– Następny kawałek robi wrażenie – powiedział. – Uważaj. *Kot-b'hai! Kot-sham!* Przybądźcie, duchy małych samotnych skał i zmartwionych myszy nie dłuższych niż trzy cale!

– Co? – Trymon nie zrozumiał.

– Wymagało to długich studiów – przyznał skromnie Galder. – Zwłaszcza myszy. Do czego doszedłem? Aha...

Znowu uniósł ramiona. Trymon obserwował go, z roztargnieniem oblizując wargi. Stary dureń naprawdę się koncentrował, skupiał umysł na zaklęciu i nie zwracał na Trymona uwagi.

Słowa mocy toczyły się po komnacie, odbijały od ścian i chowały za półkami i słojami. Trymon się zawahał.

Galder przymknął oczy i z wyrazem ekstazy wymówił ostatnie słowo.

Trymon napiął mięśnie, raz jeszcze obejmując palcami nóż. A rektor otworzył jedno oko, skinął na niego i posłał w bok strumień mocy, który pochwycił ucznia i cisnął nim o ścianę.

Galder mrugnął porozumiewawczo i po raz kolejny wzniósł ręce.

– Do mnie, duchy...

Zagrzmiał piorun, nastąpiła implozja światła i moment całkowitej fizycznej nieoznaczoności, kiedy nawet ściany zdają się zapadać we własne wnętrze. Trymon usłyszał głośne westchnienie, a potem głuchy, ciężki stuk.

W komnacie zapadła cisza.

Po kilku minutach Trymon wyczołgał się spod fotela i otrzepał ubranie. Zagwizdał parę linijek niczego szczególnego i z przesadną obojętnością ruszył do drzwi. Patrzył w sufit, jak gdyby nigdy w życiu go nie widział. Szedł zaś tak, jak gdyby zamierzał ustanowić światowy rekord prędkości w nonszalanckim spacerze.

Pośrodku kręgu Bagaż uchylił wieko.

Trymon przystanął. Odwrócił się bardzo ale, to bardzo powoli, pełen lęku przed tym, co może zobaczyć.

Bagaż zdawał się mieścić w sobie czystą bieliznę, lekko pachnącą lawendą. Nie wiadomo czemu, ale był to najbardziej przerażający widok, jaki mag w życiu oglądał.

47

– No, tego... – zaczął. – Czy... no wiesz... nie widziałeś tu przypadkiem drugiego maga?

Bagaż zaczął wyglądać jeszcze bardziej groźnie.

– Zresztą... – dodał Trymon. – To nieważne.

Szarpnął obojętnie rąbek swojej szaty i na chwilę zainteresował się jej szwem. Kiedy podniósł głowę, straszliwy kufer wciąż stał w tym samym miejscu.

– Do widzenia – rzucił Trymon i puścił się biegiem. W ostatniej chwili zdołał dopaść drzwi.

– Rincewindzie!

Rincewind otworzył oczy. Niewiele mu to pomogło. Tyle tylko że zamiast nie widzieć niczego prócz czerni, teraz nie widział niczego prócz bieli. A to – zaskakująco – okazało się jeszcze gorsze.

– Dobrze się czujesz?

– Nie.

– Aha.

Rincewind usiadł. Miał wrażenie, że siedzi na skale przyprószonej śniegiem, ale ta skała jakoś nie wyglądała dokładnie tak, jak skała powinna wyglądać. Na przykład skała nie powinna się ruszać.

Śnieg wirował dookoła. Dwukwiat siedział o kilka kroków dalej z wyrazem szczerej troski na twarzy.

Rincewind jęknął. Jego kości były bardzo niezadowolone z tego, jak je ostatnio potraktowano, i teraz ustawiały się w kolejce, żeby złożyć skargę.

– Co teraz? – zapytał.

– Pamiętasz, kiedy lecieliśmy i ja się martwiłem, czy nie uderzymy o coś w czasie burzy? Powiedziałeś, że możemy się zderzyć co najwyżej z chmurą pełną kamieni.

– I co?

– Skąd wiedziałeś?

Rincewind rozejrzał się wokół. Sądząc po zmienności i malowniczości scenerii, równie dobrze mógłby się teraz znajdować we wnętrzu piłeczki pingpongowej.

Skała pod nim się kołysała. Przesunął po niej dłońmi i wyczuł ślady uderzeń dłut. Kiedy przyłożył ucho do zimnego, mokrego kamienia, miał wrażenie, że słyszy głuche, powolne dudnienie, jakby bicie serca. Podczołgał się do krawędzi i bardzo ostrożnie wyjrzał.

W tej właśnie chwili skała musiała przelatywać nad jakąś przerwą w pokrywie chmur, gdyż dostrzegł zamglone i straszliwie odległe zębate szczyty gór. Były bardzo nisko w dole.

Zabełkotał coś niewyraźnie i wycofał się powoli.

– To śmieszne – oznajmił Dwukwiatowi. – Skały nie latają. Znane są z tego.

– Może latałyby, gdyby umiały – odparł Dwukwiat. – A ta właśnie odkryła, jak się to robi.

– Miejmy nadzieję, że nie zapomni.

Rincewind otulił się przemokniętym płaszczem i posępnie obserwował otaczającą ich chmurę. Podejrzewał, że istnieją gdzieś ludzie, którzy mają pewien zakres władzy nad własnym życiem: wstają rano i kładą się wieczorem do łóżka z rozsądnym przekonaniem, że nie spadną za kraniec świata, że nie zaatakują ich szaleńcy i że nie zbudzą się na skale o ambicjach zupełnie nieodpowiednich dla swego stanu. Niejasno pamiętał, że sam kiedyś prowadził takie życie.

Pociągnął nosem. Skała pachniała czymś smażonym. Zapach dolatywał z przodu i przemawiał bezpośrednio do jego żołądka.

– Czujesz coś? – zapytał.

– To chyba bekon – stwierdził Dwukwiat.

– Mam nadzieję, że bekon. Ponieważ zamierzam go zjeść.

Rincewind stanął na dygoczącym kamieniu i pomaszerował chwiejnie w chmury, wytężając wzrok pośród wilgotnego półmroku.

Z przodu, czy też na krawędzi natarcia skały niski druid siedział ze skrzyżowanymi nogami przy małym ognisku. Na głowie miał kwadrat ceraty zawiązany pod brodą. Ozdobnym sierpem przewracał bekon na patelni.

– Ehem... – zaczął Rincewind.

Druid podniósł głowę i upuścił patelnię do ognia. Zerwał się na nogi i bojowo chwycił sierp – to znaczy o tyle bojowo, o ile to możliwe w mokrej, białej nocnej koszuli i ociekającej wodą ceracie na głowie.

– Ostrzegam, że surowo rozprawiam się z porywaczami – oznajmił i kichnął głośno.

– Chętnie pomożemy – zapewnił Rincewind, zerkając tęsknie na płonący bekon.

To zaskoczyło druida, który – ku zdumieniu Rincewinda – był dość młody. Rincewind domyślał się, że owszem, teoretycznie powinien istnieć ktoś taki jak młodzi druidzi. Po prostu nigdy ich sobie nie wyobrażał.

– Nie próbujecie ukraść skały? – zapytał druid, opuszczając nieco sierp.

– Nie wiedziałem nawet, że można je kraść – odparł ze znużeniem Rincewind.

– Przepraszam bardzo – wtrącił uprzejmie Dwukwiat. – Mam wrażenie, że śniadanie ci się pali.

Druid zerknął w dół i bez szczególnego efektu zamachał na płomienie. Rincewind skoczył na pomoc, wzniósł się dym, popiół i hałas. A wspólne uczucie tryumfu po ocaleniu kilku częściowo zwęglonych kawałków bekonu poskutkowało o wiele lepiej niż cały podręcznik dyplomacji.

– Skąd się tu wzięliście? – zapytał druid. – Jesteśmy pięćset stóp nad ziemią, chyba że znowu pomyliłem runy.

Rincewind starał się nie myśleć o wysokości.

– Wpadliśmy, przelatując – wyjaśnił.

– Byliśmy w drodze do ziemi – dodał Dwukwiat.

– Twoja skała nas zatrzymała – zakończył Rincewind. Jego grzbiet skarżył się boleśnie. – Dzięki.

– Miałem wrażenie, że jakiś czas temu wleciałem w turbulencję – stwierdził druid. Jak się okazało, miał na imię Belafon. – A to pewnie wy... – Zadrżał. – Chyba już świta. Niech licho porwie reguły. Wchodzimy wyżej. Trzymajcie się.

– Czego? – spytał Rincewind.

– No... po prostu wykazujcie ogólną niechęć do spadania – wytłumaczył Belafon. Spod szaty wyjął duże żelazne wahadło i zatoczył nim kilka zadziwiająco szybkich łuków nad ogniskiem.

Chmury popłynęły dookoła, dało o sobie znać przykre uczucie ciężkości i nagle skała wyrwała się na słońce.

Wyrównała lot o kilka stóp ponad chmurami, wśród zimnego, ale jaskrawobłękitnego nieba. Chmury, które zeszłej nocy wydawały się zimne i dalekie, a dzisiejszego ranka obrzydliwie lepkie, teraz były tylko wełnistym białym dywanem ciągnącym się na wszystkie strony. Nieliczne szczyty gór sterczały z niego niczym wyspy. Za skałą wiatr wzbudzony przelotem rzeźbił obłoki w ulotne wiry. Skała...

Miała około trzydziestu stóp długości i dziesięciu szerokości. Była niebieskawa.

– Cóż za przepiękna panorama – stwierdził Dwukwiat. Oczy mu błyszczały.

– Eee... co nas podtrzymuje? – zapytał Rincewind.

– Perswazja. – Belafon wyżął skraj swojej szaty.

– Aha – zgodził się mądrze Rincewind.

– Podtrzymywać jest łatwo – oznajmił druid. Wystawił kciuk i wyciągnąwszy ramię, ocenił odległość do dalekiego szczytu. – Najtrudniejsze jest lądowanie.

– Kto by pomyślał, prawda? – zauważył Dwukwiat.

– Perswazja utrzymuje cały wszechświat – rzekł Belafon. – Nie warto się upierać, że to tylko magia.

Rincewind spojrzał przypadkiem przez rzednące chmury na śnieżny pejzaż spory kawałek pod sobą. Wiedział, że znalazł się w towarzystwie szaleńca. Do tego jednak zdążył się przyzwyczaić. Jeśli słuchanie tego szaleńca gwarantuje pozostanie tu, w górze, to cały zmieniał się w słuch.

Belafon usiadł, zwieszając nogi za krawędź skały.

– Nie przejmuj się tak – poradził. – Jeżeli wciąż będziesz myślał, że skały nie powinny latać, ona może cię usłyszeć i da się przekonać. I wtedy się okaże, że masz rację. Jasne? Widzę, że nie potrafisz nowocześnie myśleć.

– Też mam takie wrażenie – przyznał Rincewind słabym głosem. Starał się nie myśleć o skałach na ziemi. Starał się za to myśleć o skałach wzlatujących jak jaskółki, fruwających nad ziemią dla czystej radości lotu, pędzących w niebo...

I był rozpaczliwie świadom, że nie wychodzi mu to najlepiej.

Druidzi na Dysku szczycili się swym ze wszech miar postępowym podejściem do tajemnic wszechświata. Naturalnie, jak wszyscy druidzi, wierzyli w zasadniczą jedność wszelkiego życia, w leczniczą moc ziół, naturalny rytm pór roku i konieczność palenia żywcem na stosie każdego, kto nie odnosi się do tego wszystkiego z należytym szacunkiem. Myśleli jednak długo i ciężko nad samymi podstawami Stworzenia i sformułowali następującą teorię:

Wszechświat, twierdzili, zależy w swym działaniu od równowagi czterech sił, które nazwali czar, perswazja, niepewność i krwiożerczość. Dlatego właśnie słońce i księżyc okrążały Dysk: ponieważ przekonano je, żeby nie spadały; nie odlatywały jednak z powodu niepewności. Czar pozwalał rosnąć drzewom, krwiożerczość utrzymywała je w pionie i tak dalej.

Niektórzy z druidów próbowali sugerować, że teoria ta ma pewne dostrzegalne luki. Jednak najstarsi tłumaczyli niezwykle przekonująco, że istotnie jest w niej miejsce na twórcze spory, cięcia i riposty gorącej naukowej debaty... i że w zasadzie miejsce to znajduje się na samym szczycie stosu ofiarnego podczas najbliższego przesilenia.

– A więc jesteś astronomem? – domyślił się Dwukwiat.
– Ależ nie – odparł Belafon. Skała dryfowała łagodnie wokół zbocza góry. – Jestem konsultantem do spraw sprzętu komputerowego.
– A co to jest sprzęt komputerowy?
– Na przykład to. – Druid postukał sandałem o skałę. – A przynajmniej to część. Zamienna. Dostarczam ją. Mają problemy z wielkimi kręgami na Równinach Wirowych. Tak przynajmniej twierdzą. Chciałbym dostawać bransoletę z brązu za każdego użytkownika, który nie przeczytał instrukcji.

Wzruszył ramionami.
– A do czego konkretnie to służy? – zapytał Rincewind. Cokolwiek, byle tylko nie myśleć o przepaści pod stopami.
– Można to wykorzystać, żeby... żeby wiedzieć, jaka jest w tej chwili pora roku.
– Aha... To znaczy, jeśli skałę pokrywa śnieg, jest zima?
– Tak. To znaczy nie. To znaczy, przypuśćmy, że chciałbyś sprawdzić, kiedy wschodzi jakaś konkretna gwiazda...
– A po co? – wtrącił Dwukwiat, okazując zainteresowanie.
– No... może chcesz się dowiedzieć, kiedy obsiewać pola... – Belafon spocił się lekko. – Albo...
– Pożyczę ci swój almanach – zaproponował Dwukwiat.
– Almanach?
– To książka, która mówi, jaki jest dzień – wyjaśnił niechętnie Rincewind. – Pasuje do twoich zainteresowań.

Belafon zesztywniał.
– Książka? – powtórzył. – Taka z papieru?
– Tak.
– To mi nie wygląda na metodę godną zaufania – oznajmił urażony druid. – Skąd książka może wiedzieć, jaki jest dzień? Papier nie umie liczyć.

Tupnął nogą o skałę, która zakołysała się niebezpiecznie. Rincewind przełknął ślinę i skinął na Dwukwiata.

– Słyszałeś kiedy o szoku kulturowym? – syknął.

– Co to jest?

– To, co następuje, kiedy ludzie poświęcają pięćset lat na wyregulowanie kamiennego kręgu, a potem ktoś przychodzi z książeczką, gdzie na każdy dzień jest jedna strona z krótkimi dobrymi radami, na przykład „Najlepsza pora do wysiewu fasoli" albo „Kto wcześnie z łóżka się zbiera, ten wcześnie umiera"... i wiesz, co jest najważniejszym problemem szoku kulturowego, o którym koniecznie trzeba... – Rincewind przerwał, by nabrać tchu. Przez chwilę bezgłośnie poruszał wargami, próbując sobie przypomnieć, dokąd doprowadził to zdanie. – ...pamiętać? – dokończył.

– Co?

– Nie wolno narażać na ten szok człowieka, który pilotuje tysiąc ton skały.

– Poszedł sobie?

Trymon wyjrzał ostrożnie zza blanek Wieży Sztuk, strzelistej iglicy z pokruszonych cegieł wyrastającej ponad Niewidocznym Uniwersytetem. Zebrana w dole gromadka studentów i lektorów magii zgodnie pokiwała głowami.

– Jesteście pewni?

Kwestor złożył dłonie koło ust.

– Godzinę temu wyłamał osiowe drzwi i uciekł, panie! – wrzasnął.

– Błąd – sprostował Trymon. – On wyszedł, my uciekliśmy. No dobrze, w takim razie zejdę na dół. Złapał kogoś?

Kwestor przełknął ślinę. Nie był magiem, ale dobrodusznym, łagodnym człowiekiem, który nie powinien oglądać tego, czego był świadkiem przez ostatnią godzinę. Oczywiście zdarzało się, że pomniejsze demony, kolorowe światła czy na wpół zmaterializowane wizerunki włóczyły się po miasteczku akademickim... Jednak gwałtowne ataki Bagażu rozstroiły mu nerwy. Próba powstrzymania napastnika byłaby czymś w rodzaju zapasów z lodowcem.

– On... on połknął dziekana wydziału nauk wyzwolonych! – zawołał.

Trymon się rozpromienił.

– Ależ tu wiatr – mruknął.

Ruszył w dół długich spiralnych schodów. Po chwili rozciągnął wąskie wargi w niechętnym uśmiechu. Dzień układał się coraz lepiej.

Trzeba było jeszcze niejedno zorganizować. A jeśli Trymon cokolwiek naprawdę lubił, to właśnie organizację.

Skała mknęła nad wyżyną, rozdmuchując śnieżne zaspy ledwie o kilka stóp poniżej. Belafon krzątał się wkoło; tu rozsmarował odrobinę jemiołowej maści, gdzie indziej wykreślił runę. Rincewind siedział przerażony, a Dwukwiat martwił się o Bagaż.

– Przed nami! – ryknął druid, przekrzykując pęd wiatru. – Podziwiajcie wielki komputer niebios!

Rincewind spojrzał przez palce. Na horyzoncie wznosiła się gigantyczna konstrukcja z szarych i czarnych płyt ustawionych w koncentryczne kręgi i tajemnicze aleje, groźne i posępne na tle śnieżnego krajobrazu. Z pewnością nie ludzie ustawili tu te zalążki gór... to z pewnością grupę olbrzymów zmienił w kamienie jakiś...

– Wygląda jak kupa kamieni – stwierdził Dwukwiat.

Belafon znieruchomiał w połowie gestu.

– Co?!

– Jest bardzo ładna – dodał pospiesznie turysta. Szukał odpowiedniego określenia. – Etniczna – zdecydował.

Druid zesztywniał.

– Ładna? – powtórzył. – Tryumf technologii krzemu, cud współczesnych możliwości budowlanych... ładny?

– Tak – potwierdził Dwukwiat, dla którego sarkazm był tylko słowem na siedem liter, zaczynającym się od S.

– A co to znaczy etniczna? – zapytał druid.

– To znaczy, że wywiera niezwykłe wrażenie – wyjaśnił pospiesznie Rincewind. – I zdaje się, że grozi nam lądowanie, jeśli wolno zwrócić ci uwagę...

Belafon obejrzał się, nieco tylko udobruchany. Szeroko rozłożył ramiona i wykrzyczał ciąg nieprzetłumaczalnych słów, zakończony słowem „ładny!", które powtórzył urażonym szeptem.

Skała zwolniła, w chmurze śniegu przesunęła się w bok i zawisła ponad kręgiem. Druid na ziemi wykonał kilka skomplikowanych gestów dwoma pękami jemioły i skała z delikatnym stukiem spoczęła na dwóch filarach.

Rincewind westchnął głęboko i wypuścił powietrze. Natychmiast odleciało na bok, żeby się gdzieś ukryć.

Drabinka uderzyła o brzeg skały i nad krawędzią pojawiła się głowa starszego druida. Zdziwiony zerknął na dwóch pasażerów, po czym zwrócił się do Belafona.

– Najwyższy czas – oświadczył. – Siedem tygodni do Nocy Strzeżenia Wiedźm, a on znowu nawala.

– Witaj, Zakriahu – odrzekł Belafon. – Co się zdarzyło tym razem?

– Wszystko się sypnęło. Dzisiaj przewidział wschód słońca o trzy minuty za wcześnie. Zupełnie zgłupiał.

Belafon szybko zszedł po drabince i zniknął z pola widzenia. Pasażerowie spojrzeli po sobie nawzajem, po czym obaj popatrzyli przed siebie na szeroką, otwartą przestrzeń między głazami wewnętrznego kręgu.

– Co teraz robimy? – zapytał Dwukwiat.

– Moglibyśmy się przespać – zaproponował Rincewind.

Dwukwiat zignorował go i zszedł po drabinie.

Wokół kręgu druidzi stukali w megality małymi młoteczkami i nasłuchiwali uważnie. Kilka ogromnych głazów leżało na boku, a każdy z nich otaczała inna grupka druidów. Badali powierzchnię i sprzeczali się między sobą. Fachowe określenia dobiegały aż do uszu Rincewinda.

– Nie ma mowy o niekompatybilności oprogramowania... ty durniu, przecież Modlitwa Deptanej Spirali została zaprojektowana specjalnie dla kręgów koncentrycznych...

– Moim zdaniem trzeba go zrestartować i na początek sprawdzić prostą ceremonię księżyca...

– Oczywiście... Tym kamieniom nic nie dolega, to po prostu wszechświat się zepsuł. Tak?

Poprzez opary wyczerpanego umysłu Rincewind wspomniał straszną czerwoną gwiazdę, którą niedawno widział na niebie. Coś rzeczywiście popsuło się wczoraj w nocy we wszechświecie.

Jak zdołał powrócić na Dysk?

Miał uczucie, że odpowiedzi tkwią mu gdzieś w głowie. A po chwili zaczęło go ogarniać uczucie o wiele mniej przyjemne: że coś jeszcze ogląda scenę w dole... że patrzy zza jego oczu.

Zaklęcie wypełzło ze swego leża w głębi dziewiczych ścieżek umysłu i teraz siedziało bezczelnie w przodomózgowiu, podziwiało widoki i wykonywało psychiczny odpowiednik jedzenia prażonej kukurydzy.

Spróbował je odepchnąć... i wszystko zniknęło.

Znalazł się w ciemności ciepłej i stęchłej, w mroku grobowca, w aksamitnej czerni sarkofagu. Wyczuwał ostry zapach starej skóry i kwaśny odór starożytnych papierów. Papiery szeleściły. Czuł, że ciemność pełna jest niewyobrażalnych potworów... A cały problem z niewyobrażalnymi potworami polega na tym, że aż nazbyt łatwo je sobie wyobrazić.

– Rincewindzie – odezwał się jakiś głos.

Rincewind nigdy jeszcze nie słyszał gadającej jaszczurki, ale gdyby przemówiła, to dokładnie w taki sposób.

– Tego... – odpowiedział. – Słucham?

Głos parsknął... dziwaczny dźwięk, raczej papierowy.

– Powinieneś zapytać: „Gdzie jestem?" – stwierdził.

– A czy byłbym zadowolony z odpowiedzi?

Rincewind wpatrywał się w ciemność. Teraz, kiedy już się do niej przyzwyczaił, zaczynał coś dostrzegać. Coś niewyraźnego, ledwie dość jasnego, by było czymkolwiek... Najlżejszy, dziwnie znajomy wzór w powietrzu.

– No dobrze – zgodził się. – Gdzie jestem?

– Śnisz.

– W takim razie czy mógłbym się już obudzić? Proszę.

– Nie – odparł inny głos, stary i suchy jak pierwszy, a jednak trochę inny.

– Mamy ci coś bardzo ważnego do powiedzenia – oznajmił trzeci głos, chyba jeszcze bardziej zasuszony niż poprzednie.

Rincewind w oszołomieniu kiwnął głową. Gdzieś w głębi umysłu czaiło się Zaklęcie i zerkało mu przez myślowe ramię.

– Sprawiłeś nam wiele kłopotów, młody Rincewindzie – ciągnął głos. – Całe to spadanie z krawędzi świata... Zupełnie nie myślisz o innych. Musiałyśmy poważnie zniekształcić rzeczywistość.

– A niech to!

– A teraz czeka cię ważne zadanie.

– Och. Dobrze.

– Wiele lat temu sprawiłyśmy, by jedno z nas ukryło się w twojej głowie. Potrafiłyśmy bowiem przewidzieć nadejście chwili, w której odegrasz niezwykle istotną rolę.

– Ja? Dlaczego?

– Często i dużo uciekasz – stwierdził któryś z głosów. – To dobrze. Potrafisz przeżyć.

– Przeżyć? Z dziesięć razy o mało nie zginąłem!

– Otóż to.

– Aha.

– Ale staraj się więcej nie spadać z Dysku. Naprawdę nie możemy na to pozwolić.

– A my to kto? – zapytał Rincewind.

Coś szeleściło w ciemności.

– Na początku było Słowo – rzekł suchy głos tuż za nim.

– To było Jajo – poprawił inny głos. – Dokładnie pamiętam. Wielkie Jajo Wszechświata. Z miękką skorupką.

– Oba się mylicie. Jestem przekonane, że to pierwotna maź.

– Nie, to przyszło potem – wtrącił się głos obok kolana Rincewinda. – Najpierw istniał firmament. Mnóstwo firmamentu. Dosyć lepki. Jak wata cukrowa. A właściwie jak syrop...

– Gdyby kogokolwiek to interesowało... – zabrzmiał zgrzytliwy głos z lewej strony. – Wszystkie się mylicie. Na początku było Odchrząknięcie...

– ...potem Słowo...

– Przepraszam bardzo, ale maź...

– Wyraźnie miękka. Elastyczna, pomyślałem...

Zaległa cisza. Wreszcie któryś głos oznajmił stanowczo:

– W każdym razie cokolwiek to było, pamiętamy to dobrze.

– Naturalnie.

– Właśnie.

– A naszym zadaniem, Rincewindzie, jest dopilnować, by nic złego się temu nie przydarzyło.

Rincewind zmrużył oczy i spojrzał w mrok.

– Czy zechciałybyście uprzejmie wyjaśnić, o czym właściwie mówicie?

Zabrzmiało papierowe westchnienie.

– To tyle w kwestii metafor – stwierdził jeden z głosów. – Posłuchaj, to bardzo ważne. Musisz strzec bezpieczeństwa zaklęcia w twojej głowie, a w odpowiedniej chwili dostarczyć je do nas, rozumiesz. Abyśmy dokładnie we właściwym momencie mogły zostać wypowiedziane. Czy to jasne?

Mogły zostać wypowiedziane? – zdziwił się Rincewind.

I wtedy pojął, czym są te delikatne linie wśród czerni. To było oglądane od spodu pismo na karcie.

– Czy jestem w Octavo? – zapytał.

– W pewnych metafizycznych aspektach – przyznał obojętnie któryś z głosów.

Zbliżył się. Tuż przed nosem Rincewind wyczuwał suchy szelest... Uciekł.

Samotny czerwony punkcik błyszczał na tle plamy czerni. Trymon, wciąż jeszcze w ceremonialnych szatach – niedawno dobiegła końca uroczystość inauguracji jego rządów w obrządku – nie potrafił pozbyć się wrażenia, że kropka urosła trochę, gdy na nią patrzył. Zadrżał i odwrócił się od okna.

– I co? – rzucił.

– To gwiazda – odparł profesor astrologii. – Tak myślę.

– Myślisz?

Astrolog się skrzywił. Stali w obserwatorium Niewidocznego Uniwersytetu, a maleńka rubinowa iskierka nad horyzontem wcale nie wydawała mu się groźniejsza od nowego mistrza.

– Widzisz, panie, zawsze uważaliśmy, że gwiazdy są podobne do naszego słońca...

– To znaczy są kulami ognia średnicy około mili?

– Tak. Ale ta nowa jest, no... duża.

– Większa niż słońce?

Trymon zawsze uważał, że wielka na milę ognista kula jest dostatecznie imponująca, chociaż z zasady nie aprobował gwiazd. To przez nie sklepienie niebieskie wyglądało nieporządnie.

– O wiele większa – przyznał astrolog.

– Większa może niż głowa Wielkiego A'Tuina?

Astrolog wyglądał na załamanego.

– Większa niż Wielki A'Tuin i Dysk razem wzięte – oświadczył. – Sprawdziliśmy to – dodał pospiesznie. – I jesteśmy prawie pewni.

– To rzeczywiście duża – zgodził się Trymon. – Słowo „ogromna" samo nasuwa się na myśl.

– Masywna – przyznał szybko astrolog.

– Hm.

Trymon zaczął krążyć po zdobnej w mozaikę podłodze obserwatorium. Przedstawiono na niej znaki zodiaku Dysku. Było ich sześćdziesiąt cztery, poczynając od Dwugłowego Kangura Wezena, aż po Gahoolie, Wazon Tulipanów (konstelacja ta miała głębokie znaczenie religijne, niestety, dawno już zapomniano jakie).

Przystanął na błękitnych i złocistych płytkach Hieny Mubbo. Odwrócił się gwałtownie.

– Zderzymy się z nią? – zapytał.

– Obawiam się, że tak, panie.

– Hm. – Trymon przeszedł jeszcze kilka kroków, w zadumie gładząc brodę. Przystanął na wierzchołku Okjocka Handlowca i Niebiańskiej Pietruszki. – W tej materii nie jestem specjalistą – oświadczył. – Ale wyobrażam sobie, że nie będzie to pomyślne wydarzenie?

– Nie, panie.

– Bardzo gorące są te gwiazdy?

Astrolog przełknął ślinę.

– Tak, panie.

– Wszyscy się spalimy?

– W rezultacie tak. Oczywiście wcześniej nastąpią trzęsienia Dysku, fale pływów, wstrząsy grawitacyjne... prawdopodobnie stracimy też atmosferę.

– Aha. Jednym słowem, brak porządnej organizacji.

Astrolog zawahał się, po chwili jednak ustąpił.

– Można tak to określić, panie.

– Panika ogarnie ludzi?

– Na krótko, obawiam się.

– Hm – mruknął Trymon.

Mijał właśnie Być Może Wrota i orbitował płynnie ku Krowie Niebios. Raz jeszcze zerknął na czerwoną iskrę ponad horyzontem. Zdawało się, że podjął decyzję.

– Nie możemy znaleźć Rincewinda – rzekł. – A bez niego nie mamy ósmego zaklęcia z Octavo. Wierzymy jednak, że należy przeczytać Octavo, by uniknąć kataklizmu... W przeciwnym razie po co Stwórca by je zostawiał?

– Może po prostu zapomniał – podsunął astrolog.

Trymon spojrzał groźnie.

– Inne obrządki przeszukują wszystkie krainy pomiędzy nami a Osią – kontynuował, odliczając tezy na palcach. – Wydaje się niemożliwe, by człowiek wleciał w chmurę i już z niej nie wyleciał...

– Chyba że była wypchana skałami – wtrącił astrolog. Była to marna, a jak się okazało, również całkiem nieudana próba poprawienia humorów.

– Jednakże spaść na dół musi... gdzieś. Pytamy: gdzie?

– Gdzie? – spytał lojalnie astrolog.

– I natychmiast ukazuje się nam najlepsze rozwiązanie.

– Ach – rzekł astrolog. Biegł, by dotrzymać kroku magowi, który zdeptał właśnie Dwóch Tłustych Kuzynów.

– A rozwiązaniem tym jest...?

Astrolog spojrzał prosto w oczy szare i lodowate jak stal.

– Eee... Przestaniemy szukać? – zaryzykował.

– Otóż to! Skorzystamy z darów, które ofiarował nam Stwórca. Spójrzmy w dół. Co widzimy?

Astrolog jęknął w duchu. Spojrzał w dół.

– Kafelki – próbował odgadnąć.

– Kafelki w rzeczy samej. Które razem tworzą...? – Trymon urwał wyczekująco.

– Zodiak? – spróbował zdesperowany astrolog.

– Tak jest! Należy więc tylko odczytać precyzyjny horoskop Rincewinda i będziemy wiedzieli, gdzie się znalazł.

Astrolog uśmiechnął się jak człowiek, który stepował na lotnych piaskach i nagle poczuł pod nogami twardą skałę.

– Muszę tylko poznać dokładną datę i miejsce jego urodzin – oświadczył.

– To głupstwo. Zanim tu przyszedłem, przepisałem je z kartoteki uniwersytetu.

Astrolog zerknął na notkę i zmarszczył czoło. Przeszedł pod ścianę i wyciągnął wielką szufladę pełną map. Raz jeszcze przeczytał notkę. Chwycił parę skomplikowanych cyrkli i przez chwilę mierzył coś na mapach. Kilka razy obrócił małe astrolabium z brązu i zagwizdał przez zęby. Na tablicy wypisał kredą jakieś liczby.

Trymon tymczasem obserwował nową gwiazdę. Myślał: legenda spisana w piramidzie Tsortu głosi, że ten, kto wypowie razem osiem zaklęć w chwili, gdy Dyskowi zagraża niebezpieczeństwo, otrzyma to, czego naprawdę pragnie. A ta chwila jest bliska!

Myślał też: pamiętam Rincewinda. To chyba ten obdarty chłopak, który na ćwiczeniach zawsze był najgorszy w klasie. W całym ciele nie miał nawet jednej magicznej kostki. Niech tylko stanie przede mną, a zobaczymy, czy nie zdobędę wszystkich ośmiu...

– Coś takiego... – mruknął pod nosem astrolog, niemal bez tchu. – Rzeczywiście, trochę to dziwne – dodał głośniej.

– Jak dziwne?

– Urodził się pod Małą Nieciekawą Grupką Słabych Gwiazd. Jak wiesz, panie, leży ona pomiędzy Latającym Łosiem a Związanym Powrozem. Podobno nawet starożytni nie potrafili znaleźć w tym znaku nic ciekawego, chociaż...

– Tak, tak. Do rzeczy – ponaglił go Trymon.

– Jest to znak tradycyjnie łączony z wytwórcami szachownic, sprzedawcami cebuli, producentami gipsowych figurek o niewielkim znaczeniu religijnym oraz ludzi z alergią na cynę. Nie jest to znak magów. W chwili jego narodzin cień Cori Celesti...

– Nie interesują mnie szczegóły mechaniki niebios – warknął Trymon. – Odczytaj tylko horoskop.

Astrolog, który był w swoim żywiole, westchnął i wykonał kilka dodatkowych obliczeń.

– Jak chcesz, panie – rzekł. – Horoskop brzmi: „Dzisiaj masz dobry dzień na zawieranie nowych znajomości. Dobry uczynek może doprowadzić do nieprzewidzianych konsekwencji. Staraj się nie irytować druidów. Wkrótce wyruszysz w niezwykłą podróż. Twoim szczęśliwym daniem są małe ogórki. Ludzie mierzący w ciebie nożami nie mają prawdopodobnie dobrych zamiarów. PS Z tymi druidami to nie żart".

– Druidzi? – powtórzył Trymon. – Zastanawiam się...

– Dobrze się czujesz? – zapytał Dwukwiat.

Rincewind otworzył oczy.

I natychmiast usiadł, chwytając Dwukwiata za koszulę.

– Chcę stąd iść! – oznajmił z naciskiem. – I to już.

– Ale mają tu odprawić bardzo starożytną, tradycyjną ceremonię!

– Nie obchodzi mnie, jak starożytną! Chcę poczuć pod nogami uczciwy bruk! Tęsknię za starym, znajomym zapachem rynsztoków! Chcę być tam, gdzie jest dużo ludzi, i ognie, i dachy, i mury, i inne przyjemne rzeczy! Chcę do domu!

Odkrył w sobie nagłą, rozpaczliwą tęsknotę za cuchnącymi zadymionymi ulicami Ankh-Morpork, zawsze najpiękniejszego wiosną, kiedy gęste, mętne wody rzeki Ankh lśnią szczególnie kolorowo i ptaki śpiewają na dachach... a przynajmniej pokasłują rytmicznie.

Łza błysnęła mu w oku, gdy wspomniał subtelną grę świateł na Świątyni Pomniejszych Bóstw, znanym pomniku architektury. Coś ścisnęło go w krtani na myśl o straganie ze smażoną rybą na skrzyżowaniu Śmietnikowej z ulicą Chytrych Rzemieślników. Pamiętał, jakie sprzedawali tam korniszony – wielkie zielone stwory przyczajone na dnie słoja niczym odpoczywające wieloryby. Przez setki mil słyszał ich wołanie – obiecywały przedstawić go marynowanym jajom w sąsiednim słoju.

Wspomniał przytulne stryszki w stajniach i ciepłe składy, gdzie spędzał noce. To głupie, ale czasem narzekał na swoje życie. Trudno w to teraz uwierzyć, ale wtedy sądził, że jest nudne.

Miał już dość. Wracał do domu. Marynowane korniszony, słyszę wasz zew...

Odepchnął Dwukwiata, z godnością obciągnął podartą szatę, zwrócił twarz w kierunku tej części horyzontu, która jego zdaniem zawierała w sobie miasto jego narodzin... Po czym z determinacją i wyraźnym roztargnieniem zstąpił z trzydziestostopowego dolmenu.

Jakieś dziesięć minut później, kiedy zatroskany i trochę przestraszony Dwukwiat wykopał go z wielkiej zaspy u podstawy menhirów, wyraz twarzy maga nie uległ zmianie. Dwukwiat przyjrzał mu się uważnie.

– Jak się czujesz? – zapytał. – Ile widzisz palców?

– Chcę do domu!

– Dobrze.

– Nie, nawet nie próbuj mnie przekonywać. Mam już dosyć... chciałem powiedzieć, że nieźle się bawiliśmy, ale nie mogę i... Co?

– Powiedziałem: dobrze – powtórzył Dwukwiat. – Też chętnie zobaczę znowu Ankh-Morpork. Przypuszczam, że przez ten czas sporo już odbudowali.

Należy przypomnieć, że gdy ostatni raz oglądali miasto, paliło się ono dość gwałtownie. Miało to związek z faktem, że Dwukwiat zaprezentował koncepcję ubezpieczenia od ognia niewielkiej, ale ignoranckiej części mieszkańców. Jednak pożary były regularnym wydarzeniem w życiu miasta, które zawsze gorliwie i pracowicie odbudowywano. Używano przy tym tradycyjnych miejscowych materiałów: suchego drewna i słomy uszczelnianej smołą.

– Aha – mruknął Rincewind, tracąc nieco zapału. – Och, doskonale. Bardzo dobrze. W takim razie lepiej ruszajmy.

Podniósł się i otrzepał ze śniegu.

– Tyle że, moim zdaniem, powinniśmy zaczekać do rana – dodał Dwukwiat.

– Dlaczego?

– Na przykład jest lodowato zimno, nie bardzo wiemy, gdzie jesteśmy, Bagaż gdzieś zginął, robi się ciemno...

Rincewind znieruchomiał. Miał wrażenie, że gdzieś w głębokich kanionach umysłu słyszy daleki szelest starego papieru. Ogarnęło go przerażające uczucie, że od tej pory będą go nawiedzać sny dość monotonne... A miał przecież ważniejsze sprawy niż słuchanie wykładów gromady pradawnych zaklęć, które nie potrafią nawet ustalić, jak rozpoczął się wszechświat...

Jakie sprawy? – zapytał cichy, suchy głos w jego głowie.

– Zamknij się – mruknął Rincewind.

– Powiedziałem tylko, że jest lodowato zimno i... – zaczął Dwukwiat.

– Nie chodziło mi o ciebie. Tylko o mnie.

– Co?

– Zamknij się – burknął niechętnie Rincewind. – Pewnie nie ma tu nic do jedzenia?

Gigantyczne głazy stały czarne i groźne na tle gasnącego zielonego blasku zachodzącego słońca. Wewnętrzny krąg pełen był druidów, którzy krzątali się dookoła w świetle kilku ognisk i regulowali niezbędne urządzenia peryferyjne kamiennego komputera – takie jak ozdobione jemiołą czaszki baranów na prętach, proporce haftowane w splecione węże i temu podobne. Poza zasięgiem blasku zebrał się spory tłumek ludzi z równin; festiwale druidów zawsze cieszyły się dużą popularnością, zwłaszcza kiedy coś się nie udawało.

Rincewind przyjrzał się widzom.

– Co się tu dzieje?

– No wiesz – zaczął Dwukwiat z entuzjazmem. – Ma się odbyć ceremonia, której tradycja sięga tysięcy lat. Dla uczczenia odrodzenia księżyca. Albo słońca... Nie, jestem pewien, że księżyca. Podobno jest bardzo poważna i piękna, pełna spokoju i godności.

Rincewind zadrżał. Zawsze się martwił, gdy Dwukwiat zaczynał mówić tym tonem. Przynajmniej nie powiedział jeszcze „fascynująca" ani „malownicza". Rincewind nie do końca wiedział, co oznaczają te słowa, ale najbardziej sensowne tłumaczenie brzmiało „kłopoty".

– Szkoda, że nie ma tu Bagażu – westchnął z żalem turysta. – Przydałoby mi się pudełko obrazkowe. Ceremonia będzie z pewnością fascynująca i bardzo malownicza.

Tłum poruszył się niecierpliwie. Najwyraźniej przedstawienie miało się wkrótce rozpocząć.

– Posłuchaj – rzekł z naciskiem Rincewind. – Druidzi to kapłani. Musisz o tym pamiętać. Nie rób nic, co mogłoby ich zirytować.

– Ale...

– Nie proponuj, że odkupisz od nich kamienie.

– Ale ja...

– Nie zaczynaj się rozwodzić nad fascynującym lokalnym folklorem.

– Myślałem...

– I naprawdę nie próbuj sprzedawać im polisy ubezpieczeniowej. To zawsze ich denerwuje.

– Ale to są kapłani! – wrzasnął Dwukwiat.

Rincewind urwał na moment.

– Tak – przyznał. – O to właśnie chodzi, prawda?

Po przeciwnej stronie kręgu formowała się procesja.

– Przecież kapłani to dobrzy ludzie – stwierdził Dwukwiat. – U nas chodzą z miseczkami żebraczymi. To jedyne, co posiadają.

– Aha... – mruknął Rincewind. Nie był pewien, czy dobrze zrozumiał. – Żeby zbierać do nich krew?

– Krew?

– Tak. Z ofiar.

Rincewind przypomniał sobie kapłanów, których znał w rodzinnym mieście. Dbał oczywiście, by nie wzbudzić niechęci żadnego z bogów, i z tego powodu często pełnił w świątyniach rozmaite funkcje. Ogólnie rzecz biorąc, uważał, że kapłana z regionów wokół Morza Okrągłego, najściślej można zdefiniować jako człowieka, który prawie cały czas jest po pachy umazany krwią.

Dwukwiat był wyraźnie wstrząśnięty.

– Ależ nie – zapewnił. – Tam, skąd pochodzę, kapłani są ludźmi świątobliwymi. Poświęcają się ubóstwu, dobrym uczynkom i studiom nad naturą Boga.

Rincewind przemyślał tę niezwykłą sugestię.

– Żadnych ofiar? – upewnił się.

– Absolutnie żadnych.

– Mnie osobiście nie wydają się szczególnie świątobliwi.

Zagrzmiały spiżowe trąby. Rincewind obejrzał się. Rząd druidów przeszedł wolno, każdy ściskał w dłoniach sierp ozdobiony pękami jemioły. Liczni młodsi druidzi i uczniowie maszerowali za nimi, grając na najróżniejszych instrumentach perkusyjnych, które – zgodnie z tradycją – miały odpędzać złe duchy i najprawdopodobniej skutecznie to czyniły.

Ognie pochodni malowały ekscytujące wzory na kamieniach sterczących posępnie ku zielonkawemu niebu. Po stronie Osi lśniące zasłony zorzy polarnej mrugały i migotały na tle gwiazd, a miliony śnieżnych kryształków tańczyły w polu magicznym Dysku.

– Belafon mi to wytłumaczył – szepnął Dwukwiat. – Zobaczymy uświęconą przez czas ceremonię dla uczczenia Jedności Człowieka z Wszechświatem. Tak powiedział.

Rincewind niechętnie spojrzał na procesję. Kiedy druidzi rozstawili się dookoła szerokiego, płaskiego kamienia pośrodku kręgu, nie mógł nie zauważyć wśród nich atrakcyjnej, choć nieco bladej młodej damy. Miała na sobie długą białą suknię, złotą obręcz na szyi, a na twarzy wyraz sugerujący pewien lęk.

– Czy to druidka? – zapytał Dwukwiat.

– Nie sądzę – odrzekł wolno Rincewind.

Druidzi zaczęli śpiewać. Była to, zdaniem Rincewinda, wyjątkowo nieprzyjemna i dość monotonna pieśń. Brzmiała jednak tak, jakby zamierzała wkrótce wznieść się w niespodziewanym crescendo. Widok młodej kobiety, leżącej teraz na kamiennej płycie, stawiał płotki na torze biegu jego myśli.

– Chcę to zobaczyć – oświadczył Dwukwiat. – Uważam, że takie ceremonie odwołują się do pierwotnej prostoty, która...

– Tak, tak – przerwał mu Rincewind. – Ale oni złożą ją w ofierze, jeśli już musisz wiedzieć.

Dwukwiat spojrzał na niego oszołomiony.

– Co? Zabiją ją?

– Tak.

– Dlaczego?

– Mnie o to nie pytaj. Żeby wyrosły plony, żeby księżyc wyszedł na niebo albo żeby cokolwiek innego się stało. A może po prostu lubią zabijać ludzi. Na tym właśnie polega religia.

Uświadomił sobie, że rozlega się niskie brzęczenie... właściwie nie tyle słyszalne, ile wyczuwalne. Miał wrażenie, że dobiega od strony najbliższego głazu. Maleńkie punkciki światła migotały pod powierzchnią kamienia jak okruchy miki.

Dwukwiat na przemian otwierał i zamykał usta.

– Czy nie mogą użyć kwiatów, owoców i w ogóle? – zapytał wreszcie. – Jakiegoś symbolu?

– Nie.

– A czy ktokolwiek próbował?

Rincewind westchnął.

– Posłuchaj – rzekł. – Żaden szanujący się najwyższy kapłan nie będzie zaczynał całego widowiska z trąbami, procesjami, proporcami i tym wszystkim, żeby potem dźgnąć nożem żonkila albo kupkę śliwek. Nie ma się co oszukiwać. Wszystkie te bzdury o złocistych pędach i cyklach natury sprowadzają się w efekcie do seksu i przemocy, zwykle jednego i drugiego naraz.

Ze zdziwieniem spostrzegł, że Dwukwiatowi drżą wargi. Wiedział, że Dwukwiat nie tylko patrzy na świat przez różowe okulary... postrzega go też różowym mózgiem i słyszy różowymi uszami.

Pieśń nieuchronnie narastała w crescendo. Główny druid badał ostrze sierpu, a wszystkie oczy zwróciły się ku skalnemu palcowi na wzgórzu poza kręgiem. Tam właśnie księżyc miał rozpocząć swój gościnny występ.

– Nie warto, żebyś... – zaczął Rincewind.

Ale mówił do siebie.

 Jednakże śnieżny pejzaż poza kręgiem głazów nie był całkowicie pozbawiony życia. Przede wszystkim coraz bliżej podchodził zaalarmowany przez Trymona oddział magów.

Samotna niewielka postać także obserwowała ceremonię zza osłony wygodnie powalonego głazu. Jeden z legendarnych bohaterów Dysku z wyraźnym zainteresowaniem śledził rozwój wydarzeń.

Widział, jak druidzi krążą ze śpiewem, jak ich przywódca wznosi sierp...

Usłyszał głos.

– Chwileczkę! Przepraszam bardzo! Czy mógłbym coś powiedzieć?

Rincewind rozpaczliwie szukał możliwości ucieczki. Nie istniała. Dwukwiat stał przy kamiennym ołtarzu, wznosił w górę palec i robił wrażenie uprzejmego, acz stanowczego.

Rincewind przypomniał sobie dzień, gdy Dwukwiat doszedł do wniosku, że przechodzący pastuch zbyt mocno bije swoje bydło. Tyrada na temat łagodnego traktowania zwierząt, którą wtedy wygłosił, była tak miażdżąca, że Rincewind pozostał na drodze mocno stratowany i lekko zakrwawiony.

Druidzi patrzyli na turystę z minami rezerwowanymi zwykle dla wściekłych owiec albo nagłej ulewy żab. Rincewind nie słyszał dokładnie, co mówi Dwukwiat, jednak ponad zamilkłym nagle tłumem dotarło do jego uszu kilka zwrotów typu „malowniczy folklor" czy „kwiaty i orzechy".

I nagle palce suche jak źdźbła słomy zakryły magowi usta, a niezwykle ostra stal dotknęła jego jabłka Adama.

– Jedno szłowo i jesteś trupem – ostrzegł wilgotny szept tuż za uchem.

Oczy Rincewinda zawirowały w oczodołach, jakby usiłowały dostrzec jakieś wyjście.

– Skoro mam nic nie mówić, skąd będziesz wiedział, że rozumiem, co do mnie powiedziałeś? – syknął.

– Żamknij się i gadaj, czo robi ten drugi idiota!

– Ale jeżeli mam się zamknąć, to jak mogę...

Nóż na gardle stał się gorącą linią bólu i Rincewind postanowił zrezygnować z logiki.

– Ma na imię Dwukwiat. Nie pochodzi z tych stron.

– Nie wygląda na to. Twój przyjaciel?

– Owszem, łączy nas szczera nienawiść.

Rincewind nie widział napastnika, ale na dotyk tamten miał ciało zbudowane z wieszaków. W dodatku mocno pachniał miętą.

– Odważny jeszt, trzeba mu to przyżnać. Rób dokładnie to, czo ci powiem, a może nie nawiną mu trzewi na ten kamień.

– Arrr.

– W tych okoliczach ekumenizm nie jeszt popularny.

W tej właśnie chwili wyszedł na niebo księżyc posłuszny prawom perswazji. Niestety, obojętny na prawa obliczeń zjawił się w całkiem innym miejscu, niż wskazywały głazy.

Ale tam w górze, przeświecając przez szarpane wiatrem chmury, błyszczała czerwona gwiazda. Zawisła dokładnie nad najświętszym kamieniem w kręgu i migotała jak iskra w oczodole Śmierci. Rincewind nie mógł nie dostrzec, że jest nieco większa niż wczoraj.

Krzyk zgrozy wyrwał się z ust kapłanów. Tłum widzów na obwodzie kręgu przesunął się do przodu – widowisko zapowiadało się ciekawie.

Rincewind poczuł, że w dłoń wślizguje mu się uchwyt noża.

– Robiłeś już kiedy coś takiego? – zapytał mlaszczący głos.

– Co takiego?

– Czy wpadłeś do świątyni, żabiłeś kapłanów, ukradłeś żłoto i oczaliłeś dziewczynę?

– Nie, nie dosłownie.

– To się robi tak.

Dwa cale od lewego ucha maga zabrzmiał krzyk pawiana, który w tworzącym echa kanionie trafił nogą w sidła. Niewysoka koścista sylwetka rzuciła się do ataku.

W świetle pochodni Rincewind zobaczył, że jest to bardzo stary mężczyzna, z tych chudych, których zwykle określa się jako „zasuszonych". Był zupełnie łysy, miał brodę prawie do pasa, a na jego patykowatych nogach obrzmiałe żyły kreśliły plan ulic sporego miasta. Mimo śniegu starzec ubrany był jedynie w nabijane ćwiekami szorty ze skóry i parę butów, w których bez trudu zmieściłaby się druga para stóp.

Dwaj stojący najbliżej druidzi porozumieli się wzrokiem i mocniej chwycili sierpy. Wybuchło krótkie zamieszanie i po chwili obaj leżeli zwinięci w kłębki bólu, wydając przy tym odgłosy grzechotania.

W powstałym chaosie Rincewind przesuwał się ostrożnie w stronę kamiennego ołtarza. Nóż trzymał dyskretnie, chcąc uniknąć nieprzyjemnych komentarzy. Zresztą nikt właściwie nie zwracał na niego uwagi. Druidzi, którzy nie uciekli z kręgu – zwłaszcza ci młodsi i bardziej muskularni – zbiegli się do starca, by przedyskutować z nim problem świętokradztwa w zakresie dotyczącym kamiennych kręgów. Sądząc jednak po rechocie i trzasku chrząstek, to on był górą w tej dyskusji.

Dwukwiat z zaciekawieniem obserwował walkę. Rincewind złapał go za ramię.

– Idziemy – rzucił.

– Nie powinniśmy pomóc?

– Jestem pewien, że tylko wchodzilibyśmy mu w drogę – zapewnił mag pospiesznie. – Wiesz, jak to jest, kiedy masz coś do roboty, a ludzie zaglądają ci przez ramię.

– Ale musimy przynajmniej ratować tę młodą damę – oznajmił stanowczo turysta.

– No dobrze, ale szybko!

Dwukwiat chwycił nóż i podbiegł do kamiennego ołtarza. Po kilku niewprawnych cięciach zdołał uwolnić z więzów dziewczynę, która usiadła i wybuchnęła płaczem.

– Wszystko w porządku... – zaczął.

– Wcale nie w porządku! – zawołała, spoglądając na niego zaczerwienionymi oczyma. – Dlaczego niektórzy zawsze wszystko psują?

Żałośnie wytarła nos w skraj białej szaty.

Dwukwiat zerknął na Rincewinda z zakłopotaniem.

– Ehm... Chyba nie całkiem rozumiesz – wykrztusił. – No wiesz... właśnie ocaliliśmy cię od absolutnie pewnej śmierci.

– Tutaj nie jest tak łatwo... – powiedziała. – Znaczy, zachować... – Zarumieniła się i skrępowana zmięła brzeg szaty. – To znaczy pozostać... nie pozwolić na... nie stracić kwalifikacji...

– Kwalifikacji? – Dwukwiat nie zrozumiał, zdobywając tym samym Puchar Rincewinda za najmniej bystry umysł w całym multiwersum.

Dziewczyna zmrużyła oczy.

– Teraz siedziałabym obok bogini księżyca i piła miód ze srebrnej czary – oświadczyła z irytacją. – Osiem lat siedzenia w domu w każdy sobotni wieczór... wszystko poszło na marne.

Spojrzała na Rincewinda i zmarszczyła groźnie brwi.

Wtedy właśnie coś wyczuł. Może było to ledwie słyszalne stąpnięcie za plecami, może ruch odbity w jej oczach... Uchylił się.

Coś świsnęło w powietrzu, gdzie przed chwilą tkwiła jego szyja. Zaczepiło o łysą głowę Dwukwiata. Rincewind odwrócił się błyskawicznie. Arcydruid szykował sierp do kolejnego ciosu, a mag – z braku jakiejkolwiek szansy ucieczki – desperacko wyrzucił stopę do przodu.

Trafił w kolano. Kiedy druid wrzasnął i upuścił broń, nastąpiło nieprzyjemne mlaśnięcie i kapłan padł na twarz. Za nim niski staruszek z długą brodą wyrwał z jego ciała miecz i garścią śniegu wytarł klingę.

– To lumbago mnie wykończy – powiedział. – Wy możecie ponieść szkarby.

– Skarby? – powtórzył słabym głosem Rincewind.

– Wszystkie te naszyjniki i brosze. I złote kołnierze. Mają ich mnóstwo. Taczy już szą kapłani. Nicz tylko naszyjniki i naszyjniki. Czo ż dziewczyną?

– Nie chce nam pozwolić się ocalić – wyjaśnił mag.

Dziewczyna spojrzała wyzywająco przez rozmazane cienie do powiek.

– Diabła tam... – rzekł staruszek i jednym ruchem porwał ją na ramię. Zachwiał się, przeklął swój artretyzm i upadł. Po chwili odezwał się z pozycji leżącej: – Nie sztój tak, głupia dziewko! Pomóż mi wsztać!

Ku zdumieniu Rincewinda, a prawie na pewno także swojemu, dziewczyna posłuchała.

Rincewind tymczasem usiłował ocucić Dwukwiata. Turysta miał na skroni szramę, z wyglądu niezbyt głęboką. Był jednak nieprzytomny, na twarzy zaś zastygł mu smutny uśmiech. Oddychał płytko i... dziwnie.

W dodatku był lekki. Nie zwyczajnie lekki, ale nieważki. Równie dobrze Rincewind mógłby trzymać na rękach cień.

Przypomniał sobie, że słyszał od pewnych ludzi, jakoby druidzi używali niezwykłych i strasznych trucizn. Ci sami ludzie, oczywiście, twierdzili często, że oszuści mają wąskie i przenikliwe oczy, piorun nigdy nie uderza dwa razy w to samo miejsce, a gdyby bogowie chcieli, żeby ludzie latali, daliby wszystkim bilety lotnicze. Jednakże ta niezwykła lekkość Dwukwiata przestraszyła Rincewinda śmiertelnie.

Obejrzał się na dziewczynę. Przerzuciła sobie starca przez ramię i uśmiechnęła się na wpół przepraszająco.

– Macie wszysztko? Wynośmy się sztąd, zanim wrócą – odezwał się głos zza jej pleców.

Rincewind chwycił Dwukwiata pod pachę i pobiegł za nimi. Zdawało się, że nie ma innego wyjścia.

W zasypanym śniegiem jarze niedaleko od kręgu czekał na staruszka wielki biały koń przywiązany do wyschniętego drzewa. Zwierzę było smukłe i lśniące, a ogólne wrażenie wspaniałego bojowego rumaka lekko tylko psuła umocowana do siodła poduszka przeciw hemoroidom.

– Dobrze, posztaw mnie. W jukach mam szłoik jakiejś maści, jeśli pożwolisz...

Rincewind możliwie elegancko oparł Dwukwiata o drzewo. Potem, w świetle księżyca i – co sobie uświadomił – w słabym czerwonym blasku groźnej nowej gwiazdy po raz pierwszy przyjrzał się swemu wybawcy.

Starzec miał tylko jedno oko; drugie przesłaniała czarna opaska. Skórę pokrywała sieć blizn i białe ślady zapalenia ścięgien. Zęby najwyraźniej już dawno postanowiły się wycofać ze spółki.

– Kim jesteś? – zapytał.

– Bethan – odparła dziewczyna, smarując grzbiet starca jakąś brzydko pachnącą zieloną maścią.

Zachowywała się jak ktoś, kto odpowiadając na pytanie, co czeka dziewicę ocaloną przed sierpem ofiarnym przez bohatera na białym rumaku, nie wspomniałby nawet o maści... kto jednak, skoro maść najwyraźniej była nieunikniona, postanowił robić dobrą minę do złej gry.

– Jego pytałem – wyjaśnił Rincewind.

Spojrzało na niego jedno błyszczące jak gwiazda oko.

– Mam na imię Cohen, chłopcze.

Dłonie Bethan znieruchomiały.

– Cohen? – powtórzyła. – Cohen Barbarzyńca?

– Ten szam.

– Zaraz, zaraz – wtrącił Rincewind. – Cohen to wielki facet z byczym karkiem i klatką piersiową jak worek piłek. To przecież największy wojownik na Dysku, żywa legenda. Pamiętam, dziadek opowiadał mi, że go widział... dziadek opowiadał mi... dziadek...

Zająknął się pod spojrzeniem przenikliwym jak wiertło.

– Aha – mruknął. – Och. Oczywiście. Przepraszam.

– Tak – westchnął Cohen. – To prawda, chłopcze. Żyję tylko w legendzie.

– Rany... A ile właściwie masz lat?

– Osiemdziesiąt siedem.

– Za to byłeś najwspanialszy – oświadczyła Bethan. – Bardowie po dziś dzień śpiewają o tobie pieśni.

Cohen wzruszył ramionami i jęknął z bólu.

– Nigdy nie płaczą mi tantiem – westchnął. Posępnie zapatrzył się na śnieg. – Oto jeszt szaga mojego życia. Osiemdziesiąt siedem lat w interesie i czo ż tego mam? Obolały grzbiet, artretyżm, kłopoty ż trawieniem i tysiąc różnych przepiszów na żupę. Żupa! Nienawidzę żupy!

Bethan zmarszczyła czoło.

– Żupa?

– Zupa – wyjaśnił Rincewind.

– Tak, żupa – potwierdził żałośnie Cohen. – To żęby, rozumiecie. Kiedy człowiek nie ma żębów, nikt nie traktuje go poważnie. Mówią „Szpocznij przy kominku, dziadku, i poczęsztuj się żu..." – Cohen zmierzył Rincewinda surowym wzrokiem. – Czoś się rożkaszlałeś, chłopcze.

Rincewind nie potrafił spojrzeć w oczy Bethan. Odwrócił głowę i nagle serce w nim zamarło. Dwukwiat wciąż siedział oparty o drzewo, spokojnie nieprzytomny. Zdawał się patrzeć na nich z wyrzutem tak wielkim, jak tylko było to możliwe w tych okolicznościach.

Cohen też jakby sobie o nim przypomniał. Powstał niepewnie i poczłapał do turysty. Uniósł palcami jego powieki, zbadał szramę, poszukał tętna.

– Odszedł – stwierdził wreszcie.

– Nie żyje?

W dyskusyjnej sali umysłu Rincewinda tuzin różnych emocji poderwało się na nogi i zaczęło krzyczeć. Ulga perorowała w najlepsze, kiedy Szok zabrał głos w kwestii formalnej. Zaraz po nim Oszołomienie, Zgroza i Poczucie Straty zaczęły bójkę, która zakończyła się dopiero wtedy, gdy Wstyd zajrzał przez drzwi frontowe, żeby sprawdzić, co się właściwie dzieje.

– Nie – odparł Cohen. – Nieżupełnie. Po prosztu... odszedł.

– Odszedł dokąd?

– Nie wiem. Ale żnam chyba kogoś, kto może mieć mapę.

 Na zaśnieżonej równinie błyszczało wśród mroku pół tuzina czerwonych punkcików.

– Jest niedaleko – oznajmił prowadzący mag, zerkając do niedużej kryształowej kuli.

Chóralny pomruk z kolumny za jego plecami oznaczał w przybliżeniu, że jakkolwiek daleko znajduje się Rincewind, gorąca kąpiel, solidny posiłek i miękkie, ciepłe łóżko są jeszcze dalej.

Nagle mag, który człapał z tyłu kolumny, przystanął.

– Słuchajcie! – zawołał.

Nasłuchiwali. Wokół rozbrzmiewały delikatne odgłosy zimy, która zaciskała już w pięści tę krainę: trzeszczenie skał i stłumione kroki małych stworzonek w tunelach pod śnieżnym dywanem. W odległym lesie zawył wilk i zaraz umilkł zakłopotany, że nikt się do niego nie przyłączył. Trwał także srebrzysty dźwięk padającego blasku księżyca. I sapanie pół tuzina magów, starających się oddychać jak najciszej.

– Niczego nie słyszę... – zaczął jeden.

– Psst!

– Dobrze, dobrze...

Wtedy usłyszeli wszyscy: cichy, daleki chrzęst, jakby coś bardzo szybko poruszało się po śnieżnej pokrywie.

– Wilki? – rzucił któryś z magów.

Wszyscy wyobrazili sobie setki chudych wygłodniałych bestii pędzących skokami przez noc.

– Nnnie – stwierdził przywódca. – Zbyt regularny rytm. Może to posłaniec?

Teraz chrzęst brzmiał głośniej: chrupiący i rytmiczny, jakby ktoś bardzo szybko jadł seler.

– Wyślę flarę – oświadczył przywódca.

Zebrał garść śniegu, ulepił kulę, rzucił ją w powietrze i rozpalił strugą oktarynowego światła z czubków palców. Zapłonęła krótkotrwałym jaskrawoniebieskim światłem.

Zapadła cisza. Wreszcie odezwał się inny mag.

– Ty durniu! Teraz już niczego nie widzę.

Były to ostatnie słowa, jakie usłyszeli, zanim coś szybkiego, twardego i hałaśliwego wypadło na nich z ciemności i zniknęło w mroku nocy.

Kiedy powykopywali się nawzajem ze śniegu, znaleźli tylko głębokie ślady setek małych stóp. Setki śladów, bardzo gęstych i prowadzących przez śnieżną równinę prosto jak promień światła.

– Nekromantka! – stwierdził Rincewind.

Stara kobieta przy ognisku wzruszyła ramionami i z niewidzialnej kieszeni wyjęła talię zatłuszczonych kart.

Mimo mrozu na zewnątrz atmosfera w jurcie przypominała tę spod pachy kowala. Mag pocił się już obficie. Koński nawóz świetnie nadaje się na paliwo, ale Ludzie Koni muszą się jeszcze wiele nauczyć o świeżym powietrzu. Poczynając od tego, co właściwie oznacza to określenie.

Bethan pochyliła się do maga.

– Czy ma to coś wspólnego z nowym romantyzmem? – szepnęła.

– Nekromancja. Rozmawianie z umarłymi – wyjaśnił.

– Aha. – Była nieco rozczarowana.

Do jedzenia podano im tu końskie mięso, koński ser, końską kaszankę i cienkie piwo, którego receptury Rincewind wolał nie analizować. Cohen (który jadł końską zupę) wytłumaczył, że ludzie w Końskich Plemionach z osiowych stepów rodzą się w siodle – choć Rincewind uważał to za ginekologiczną niemożliwość. Mają też wrodzone zdolności do naturalnej magii, gdyż życie na stepie pozwala zrozumieć, jak dokładnie niebo pasuje do ziemi na całej jej krawędzi, co z kolei w naturalny sposób inspiruje umysł do stawiania ważkich pytań, na przykład: „Dlaczego?", „Kiedy?" i „Czemu choć raz dla odmiany nie spróbujemy wołowiny?".

Babka wodza skinęła Rincewindowi głową i rozłożyła karty.

Rincewind, co już zostało powiedziane, był najgorszym magiem na całym Dysku. Żaden czar nie chciał zatrzymać się w jego umyśle od dnia, gdy zamieszkało tam Zaklęcie – mniej więcej z tych samych powodów, dla których ryby unikają stawu ze szczupakiem. Jednak nadal zachował swoją dumę, a magowie nie lubią, gdy kobiety próbują nawet najprostszych czarów. Niewidoczny Uniwersytet nigdy nie przyjmował kobiet na studia; tłumaczono mętnie, że w grę wchodzą problemy z kanalizacją, lecz rzeczywistą przyczyną była niewypowiedziana trwoga, że gdyby pozwolić kobietom na zabawy z magią, prawdopodobnie radziłyby sobie znakomicie.

– Zresztą i tak nie wierzę w karty caroca – burknął Rincewind. – Całe to gadanie, że zawierają wysublimowaną mądrość wszechświata, to jedna wielka bzdura.

Pierwszą kartą, pożółkłą od dymu i pomarszczoną wiekiem, była... Powinna to być Gwiazda. Ale zamiast znajomego krążka z prymitywnymi promieniami zobaczył mały czerwony punkt. Starucha zamruczała pod nosem i poskrobała kartę paznokciem, wreszcie spojrzała podejrzliwie na Rincewinda.

– Nie mam z tym nic wspólnego – oświadczył.

Wyłożyła Konieczność Mycia Rąk, Osiem Oktogramów, Kopułę Niebios, Jezioro Nocy, Cztery Słonie, Żółwiowego Asa i wreszcie – Rincewind spodziewał się tego – Śmierć.

Tutaj też coś było nie w porządku. Karta powinna przedstawiać wizerunek Śmierci na białym koniu. I rzeczywiście Śmierć i koń byli na miejscu. Jednak niebo zalewał czerwony blask, a zza wzgórza wynurzała się jakaś postać ledwie widoczna w świetle płonącego w lampach końskiego tłuszczu. Rincewind jednak nie musiał nawet się jej przyglądać, gdyż za nią biegła skrzynia na setkach małych nóżek.

Bagaż podąża za swym właścicielem wszędzie.

Rincewind zerknął na Dwukwiata, blady kształt na stosie końskich skór pod ścianą jurty.

– Naprawdę nie żyje? – zapytał.

Cohen przetłumaczył, a starucha pokręciła głową. Grzebała chwilę w kolekcji torebek i buteleczek w drewnianej szkatułce. Wreszcie znalazła małą zieloną fiolkę, z której wlała kilka kropel do piwa Rincewinda.

– Mówi, że to jakieś lekarstwo – wyjaśnił Cohen. – Na twoim miejszczu bym wypił. Ludzie Koni bardzo się denerwują, kiedy ktoś gardzi ich gościnnością.

– Czy głowa mi od tego odpadnie? – spytał Rincewind.
– Ona twierdzi, że koniecznie musisz wypić.
Pociągnął łyk, świadom wpatrzonych w siebie oczu.
– Hm – mruknął. – Całkiem...

Coś pochwyciło go i cisnęło w powietrze. Tyle że w innym sensie nadal siedział w jurcie – widział siebie, malejącą figurkę w kręgu światła, który stawał się coraz mniejszy. Ludziki--zabawki dookoła wpatrywały się w jego ciało. Z wyjątkiem starej kobiety. Ona patrzyła prosto na niego i uśmiechała się.

Najstarsi magowie znad Morza Okrągłego wcale się nie uśmiechali. Zaczynali zdawać sobie sprawę, że oto spotkali coś absolutnie nieznanego i przerażającego: młodego człowieka, który postanowił zrobić karierę.

Właściwie żaden z nich nie wiedział, ile dokładnie lat ma Trymon. Jednak jego rzadkie włosy wciąż były czarne, a skóra miała woskową barwę, którą w marnym oświetleniu można by uznać za cechę kwitnącej młodości.

Sześciu żyjących jeszcze mistrzów ośmiu obrządków siedziało przy długim, lśniącym, nowym stole, w komnacie, która jeszcze niedawno była pracownią Galdera Weatherwaxa. I każdy z nich zastanawiał się, co takiego jest w Trymonie, że mają taką ochotę go kopnąć.

Rzecz nie w tym, że był ambitny i okrutny. Ludzie okrutni są głupcami; wszyscy obecni wiedzieli, jak wykorzystywać okrutników, i doskonale potrafili używać ambicji innych. Nikt nie przetrwałby długo jako mag ósmego stopnia, gdyby nie opanował czegoś w rodzaju myślowego judo.

Rzecz nie w tym również, że Trymon był jakoś szczególnie złośliwy, żądny krwi czy też władzy. Takie cechy u maga niekoniecznie uchodzą za wady. Na ogół magowie nie są bardziej niegodziwi niż – powiedzmy – rada przeciętnego klubu rotariańskiego. Każdy z nich zyskał godność nie tyle dzięki sprawności w magii, ile dzięki temu, że zawsze pamiętał, by korzystać ze słabości przeciwników.

I rzecz nie w tym, że Trymon był szczególnie mądry. Każdy z magów uważał siebie za osiągnięcie w dziedzinie mądrości. To należało do zawodu.

Nie miał nawet charyzmy. Każdy z nich potrafiłby na pierwszy rzut oka rozpoznać charyzmę, a Trymon miał jej tyle co kacze jajo. Chodziło o to...

Nie był dobry ani zły, ani okrutny, ani wyjątkowy pod jakimkolwiek względem prócz jednego: podniósł przeciętność do rangi sztuki. Posiadał umysł tak zimny, bezlitosny i logiczny jak zbocza piekła.

Każdy z obecnych magów w ramach obowiązków służbowych spotykał w zaciszu magicznego oktogramu liczne istoty plujące ogniem, o skrzydłach nietoperza i tygrysich szponach. I nigdy jeszcze żaden nie doświadczył takiego skrępowania i niepewności, jak wtedy gdy w progu stanął spóźniony o dziesięć minut Trymon.

– Przepraszam za spóźnienie, panowie – rzucił fałszywie, energicznie zacierając ręce. – Tyle spraw do załatwienia, tyle trzeba zorganizować... Z pewnością wiecie, jak to jest.

Magowie zerkali z ukosa. Trymon tymczasem zasiadł u szczytu stołu i zaczął z poważną miną przerzucać jakieś papiery.

– Gdzie się podział stary fotel Galdera, ten na kurzych łapach i z lwimi łapami na poręczach? – zapytał Jiglad Wert.

Fotel zniknął razem z większą częścią pozostałych, znajomych mebli. Zastąpiło je kilka niskich skórzanych krzeseł, które wyglądały na niezwykle wygodne, dopóki ktoś nie posiedział w jednym z nich przez pięć minut.

– Ach, ten... Kazałem go spalić – odparł Trymon, nie podnosząc głowy.

– Spalić? Przecież to bezcenny obiekt magiczny, oryginalny...

– Zwykły grat, obawiam się. – Trymon obdarzył go lekkim uśmiechem. – Jestem przekonany, że prawdziwi magowie nie potrzebują takich rzeczy. A teraz... czy możemy wrócić do pracy?

– Co to za papier? – nie ustępował Jiglad Wert ze sztukmistrzów, powiewając kartką, którą znalazł na stole. Powiewał tym gwałtowniej, że jego własny fotel, w jego zagraconej i wygodnej wieży, był chyba jeszcze bardziej ozdobny niż Galdera.

– To porządek obrad, Jigladzie – wyjaśnił cierpliwie Trymon.

– Mamy w rządkach obradować?

– To lista spraw, które powinniśmy dzisiaj omówić. Po prostu. Przykro mi, że tak to odbierasz...

– Dotąd nie potrzebowaliśmy czegoś takiego!

– Sądzę, że potrzebowaliście, tylko nie korzystaliście z tego. – W głosie Trymona wibrowały tony rozsądku.

Wert się zawahał.

– Niech będzie – burknął ponuro, zerkając na kolegów w poszukiwaniu wsparcia. – Ale tutaj jest napisane... – Przysunął pismo do oczu. – „Następca Greyhalda Spolda". To przecież stary Rhunlet Vard, prawda? Czekał na to od lat.

– Tak, ale czy on się nadaje?

– Co?

– Z pewnością wszyscy uświadamiamy sobie znaczenie właściwej obsady tej funkcji – rzekł Trymon. – Vard jest... cóż, godny tego zaszczytu... na swój sposób... ale...

– To nie nasza sprawa – oznajmił jeden z magów.

– Ale może być nasza.

Zapadła cisza.

– Wtrącać się w wewnętrzne sprawy innego obrządku? – spytał z niedowierzaniem Wert.

– Naturalnie, że nie – uspokoił go Trymon. – Sugeruję tylko, by zaproponować im... radę. Ale o tym pomówimy później.

Magowie nigdy nie słyszeli o „budowie zrębów władzy". W przeciwnym razie Trymonowi nigdy by się nie udało po nią sięgnąć. Ale prosty zabieg, by dopomóc innym w zdobyciu godności, choćby nawet w celu wzmocnienia własnych wpływów, był dla nich koncepcją całkowicie obcą. Według nich każdy walczył samotnie. Nawet jeśli nie liczyć wrogich nadprzyrodzonych istot, ambitni magowie mieli aż nadto starć we własnym obrządku.

– Myślę, że powinniśmy teraz rozważyć sprawę Rincewinda – oświadczył Trymon.

– I gwiazdy – uzupełnił Wert. – Ludzie zaczynają coś wyczuwać.

– Owszem. Mówią, że to my powinniśmy coś zrobić – dodał Lemuel Panter z Obrządku Północy. – Co mianowicie, chciałbym wiedzieć.

– To proste – odparł Wert. – Mówią, że powinniśmy odczytać Octavo. Zawsze to powtarzają. Marne plony? Odczytajcie Octavo. Krowy padają? Odczytajcie Octavo. Zaklęcia wszystko naprawią.

– Coś w tym jest – przyznał Trymon. – Mój... hm... zmarły poprzednik wiele lat poświęcił na studia Octavo.

– Jak my wszyscy – burknął gniewnie Panter. – Ale co z tego? Osiem zaklęć musi działać razem. Zgadzam się, jeśli zawiedzie wszystko inne, może należy zaryzykować... Jednak osiem należy wypowiedzieć równocześnie albo wcale. A jedno z nich tkwi w głowie Rincewinda.

– I nie możemy go znaleźć – dokończył Trymon. – To zasadniczy problem, nieprawdaż? Jestem przekonany, że wszyscy podejmowaliśmy dyskretne próby.

Magowie spojrzeli po sobie z zakłopotaniem.

– Tak – przyznał po chwili Wert. – To prawda. Karty na stół. Ja nie potrafię go odszukać.

– Zaglądałem do szklanej kuli – oznajmił inny. – I nic.

– Posyłałem zwierzęta – dodał trzeci.

Wszyscy zesztywnieli. Jeśli na porządku dnia było przyznawanie się do porażki, to mieli zamiar zaświadczyć, że przegrali po heroicznych staraniach.

– Tylko tyle? Ja wysłałem demony.

– A ja zajrzałem w Zwierciadło Doglądu.

– Wczoraj w nocy szukałem go w Runach M'haw.

– Chcę wyraźnie zaznaczyć, że próbowałem Run i Zwierciadła, a dodatkowo wnętrzności maniosięga.

– A ja rozmawiałem ze zwierzętami ziemi i ptakami powietrza.

– Wiedziały coś?

– Nie.

– No cóż, ja pytałem samych kości tej ziemi, tak... I głęboko ukrytych głazów, i gór.

Zapadła lodowata cisza. Wszyscy spojrzeli na maga, który to powiedział. Był nim Ganmack Treehallet z Rady Szacownych Proroków. Pokręcił się na krześle.

– I pewnie jeszcze dzwoniło – mruknął ktoś.

– Nie twierdzę przecież, że mi odpowiedziały, prawda? – powiedział Ganmack Treehallet.

Trymon zmierzył ich wzrokiem.

– A ja posłałem kogoś, żeby go znalazł.

Wert parsknął.

– Nie wyszło to najlepiej przy ostatnich dwóch próbach.

– Bo polegaliśmy na magii. To oczywiste, że Rincewind potrafi się jakoś przed nią ukryć. Ale nie zdoła ukryć swoich tropów.

– Posłałeś tropiciela?

– W pewnym sensie.

– Bohatera?

Tym jednym słowem Wert zdołał przekazać wiele znaczeń. Takim samym tonem w innym wszechświecie południowiec wymawiał „cholerny Jankes".

Magowie przyglądali się Trymonowi z otwartymi ustami.

– Tak – odparł chłodno.

– Z czyjego upoważnienia? – Wert żądał odpowiedzi.

Trymon zwrócił ku niemu swe szare oczy.

– Z własnego. Inne nie było mi potrzebne.

– To... to poważne wykroczenie! Od kiedy to magowie wynajmują bohaterów, żeby wykonywali za nich robotę?

– Odkąd magowie się przekonali, że ich magia nie działa.

– To chwilowe zakłócenia, nic więcej.

Trymon wzruszył ramionami.

– Możliwe – przyznał. – Ale brak nam czasu, żeby to sprawdzić. Udowodnijcie, że się mylę. Znajdźcie Rincewinda metodą szklanej kuli albo rozmów z ptakami. Co do mnie... Wiem, że zostałem stworzony do mądrości. A ludzie mądrzy czynią to, czego wymaga od nich czas.

Jest faktem powszechnie znanym, że magowie i bohaterowie nie żyją ze sobą w zgodzie. Ci pierwsi uważają drugich za grupę żądnych krwi idiotów, którzy nie potrafią chodzić i myśleć jednocześnie. Oczywiście druga strona jest podejrzliwa wobec zespołu mężczyzn, którzy ciągle coś mruczą i noszą długie szaty. Ach tak, odpowiadają magowie, jeśli my tacy jesteśmy, to co powiecie na te nabijane obroże i wysmarowane olejkiem mięśnie w Pogańskim Stowarzyszeniu Młodych Mężczyzn? Na co bohaterowie odpowiadają: Też mi zarzut od bandy mięczaków, którzy boją się zbliżyć do kobiety z powodu, słuchajcie tylko! – że to odbierze im magiczną siłę. Koniec, mówią magowie. Tego już za wiele. Wy i te wasze pozy. A tak, odpowiadają bohaterowie, a czemu wy...

I tak dalej. Takie kłótnie trwały już od stuleci i wywołały kilka wielkich bitew. Pozostały po nich wielkie połacie terenów nienadających się do zamieszkania z powodu magicznych rezonansów.

Tymczasem bohater galopujący w tej chwili ku Równinom Wirowym nie mieszał się do tych sporów, ponieważ nie traktował ich poważnie. Przede wszystkim jednak dlatego, że bohater był bohaterką. Rudowłosą.

Istnieje tendencja, by w tym momencie zerknąć przez ramię na grafika i podyktować mu dokładny opis czarnej skóry, wysokich butów i nagich ostrzy.

Słowa typu „pełna", „zaokrąglona" czy nawet „wyzywająca" wkradają się do narracji, aż wreszcie pisarz musi przerwać, wziąć zimny prysznic i położyć się na chwilę.

Co jest dość niemądre, ponieważ kobieta zdecydowana mieczem zarabiać na życie nie będzie wędrować po świecie, wyglądając jak ktoś z okładki katalogu wyrafinowanej bielizny dla pewnej szczególnej grupy nabywców.

Zresztą to nieważne. Trzeba przyznać, że Herrena Hennowłosa Herridan wyglądałaby oszałamiająco po solidnej kąpieli, z ostrym makijażem i po zakupach w sklepie Wu Hun Linga „Egzotyka Orientu i Narzędzia Walki" przy ulicy Bohaterów. Aktualnie jednak była rozsądnie przyodziana w lekką kolczugę, miękkie buty i krótki miecz.

No dobrze, może te buty były ze skóry. Ale nie czarnej.

Towarzyszyło jej kilku smagłych mężczyzn, którzy na pewno i tak wkrótce zginą, więc dokładniejszy ich opis nie jest konieczny. Z całą pewnością nie mieli w sobie absolutnie nic wyzywającego.

Dobrze; jeśli komuś zależy, mogą być ubrani w skóry.

Herrena nie była z nich przesadnie zadowolona, ale tylko takich zdołała wynająć w Morpork. Wielu mieszkańców miasta ze strachu przed nową gwiazdą wyprowadzało się i ruszało w góry.

Herrena jednak zmierzała w góry z całkiem innych przyczyn. Od strony krawędziowo-obrotowej z Równinami Wirowymi graniczyły Góry Trollich Kości. Herrena od wielu lat korzystała z dobrodziejstw równouprawnienia, dostępnych każdej kobiecie, w której ręku miecz potrafi zaśpiewać, i teraz ufała swemu instynktowi.

Ten Rincewind, według opisu Trymona, był szczurem, a szczury szukają kryjówek. Poza tym góry leżały bardzo daleko od Trymona, a choć był on w tej chwili jej pracodawcą, Herrena nie odnosiła się to tego faktu z entuzjazmem. W jego zachowaniu było coś, od czego świerzbiały ją pięści.

Rincewind pomyślał, że powinien wpaść w panikę. To jednak było trudne. Wprawdzie nie uświadamiał sobie tego, ale emocje w rodzaju paniki, grozy czy gniewu związane są z materiałem, który chlupie w gruczołach. A wszystkie gruczoły Rincewinda pozostały w ciele.

Nie miał pewności, gdzie zostało jego ciało. Gdy jednak spojrzał w dół, dostrzegł cienką niebieską linię sięgającą w ciemność od miejsca, które – aby zachować zdrowe zmysły – nazwałby swoją kostką. Rozsądek kazał przypuszczać, że jego ciało znajduje się na drugim końcu tej linii.

Nie było to ciało idealne, sam to przyznawał. Ale jeden czy dwa jego elementy miały dla niego wartość pamiątkową... Gdyby ta niebieska linia pękła, musiałby przez resztę swego ży... swej egzystencji włóczyć się w pobliżu wirujących stolików i udawać zmarłe ciotki różnych osób... Albo robić inne rzeczy, które zagubione dusze robią dla zabicia czasu.

Na tę myśl ogarnęło go przerażenie tak wielkie, że prawie nie poczuł, jak stopami dotyka gruntu. Jakiegoś gruntu, w każdym razie; z pewnością nie tego, który znał. O ile pamiętał, tamten grunt nie był tak czarny i nie wibrował tak niepokojąco.

Rincewind rozejrzał się wokół.

Strome, zębate góry wbijały się w zimne niebo, pełne okrutnych gwiazd. Gwiazd tych nie znała żadna mapa niebios w multiwersum, ale wyraźnie lśnił wśród nich złowieszczy czerwony krążek. Rincewind zadrżał i odwrócił wzrok. Przed nim teren opadał stromo, a suchy wiatr szeptał wśród oszronionych skał.

Naprawdę szeptał. Gdy smutne podmuchy szarpnęły jego szatę, Rincewind miał wrażenie, że słyszy głosy. Były słabe i dalekie, a powtarzały ciągle „Jesteś pewna, że w potrawce były pieczarki? Czuję się trochę..." i „Stąd jest piękny widok! Trzeba tylko wychylić się przez...", i „Nie jęcz, to tylko draśnięcie", i „Uważaj, gdzie celujesz, mały! Niewiele brakowało...", i tak dalej.

Potykając się i zasłaniając uszy, ruszył w dół zbocza. Po chwili zobaczył coś, co niewielu żywych miało okazję oglądać.

Grunt zapadał się gwałtownie, tworząc ogromny lejek milowej średnicy. Szepczący wiatr dusz wiał do wnętrza z potężnym basowym pomrukiem, jakby to sam Dysk oddychał. Jednak wąski pas skały sięgał ponad przepaścią do platformy o średnicy może stu stóp.

Był tam ogród z sadami i klombami, a także mały czarny domek. Prowadziła do niego wąska ścieżka.

Rincewind spojrzał za siebie. Lśniąca niebieska linia wciąż tam jeszcze była.

Bagaż również.

Przykucnął na ścieżce i patrzył.

Rincewind nigdy nie radził sobie z Bagażem, który z kolei coś chyba maga nie aprobował. Tym razem jednak nie patrzył groźnie, lecz raczej żałośnie – jak pies, który tarzał się wesoło w krowich plackach, po czym wrócił do domu i odkrył, że rodzina przeprowadziła się na inny kontynent.

– Dobra – mruknął Rincewind. – Chodź.

Bagaż wysunął nogi i ruszył za nim.

Z jakiegoś powodu Rincewind oczekiwał, że ogród na platformie będzie pełen martwych kwiatów. Tymczasem był dobrze utrzymany i zadbany, najwyraźniej przez kogoś, kto potrafił dobierać kolory... pod warunkiem że były to głęboki fiolet, czerń nocy albo biel całunu. Olbrzymie lilie perfumowały atmosferę. Pośrodku świeżo skoszonego trawnika stał zegar słoneczny.

Prowadząc za sobą Bagaż, Rincewind przeszedł alejką wysypaną okruchami marmuru i znalazł się na tyłach domku. Otworzył drzwi.

Cztery konie spojrzały na niego znad worków z owsem. Były ciepłe i żywe, w dodatku świetnie utrzymane. Wielki biały rumak miał oddzielną zagrodę, a jego srebrno-czarna uprząż wisiała nad drzwiami. Pozostałe trzy stały uwiązane naprzeciwko przy żłobie, jak gdyby ich właściciele wpadli tu na krótko. Wierzchowce obserwowały Rincewinda z leniwą zwierzęcą ciekawością.

Bagaż uderzył go w nogę. Mag odwrócił się i syknął:

– Odczep się, dobrze?

Bagaż się cofnął. Wyglądał na zakłopotany.

Rincewind przebiegł na palcach do drzwi naprzeciw i otworzył je ostrożnie. Odsłoniły kamienny korytarz prowadzący do sporego przedpokoju.

Sunął dalej, z plecami przyciśniętymi mocno do ściany. Bagaż uniósł się na palcach i przemknął nerwowo do przodu.

Sam przedpokój...

Nie chodziło nawet o to, że był wyraźnie większy, niż wydawał się z zewnątrz cały domek. Nie to zmartwiło Rincewinda. Ostatnio działy się takie cuda, że zaśmiałby się ironicznie, gdyby mu ktoś powiedział, że nie da się wlać kwarty do półkwartowego kufla. Nie szło o wystrój – w stylu Wczesnej Krypty, czyli głównie czarne draperie.

To zegar. Bardzo duży, zajmował miejsce pomiędzy krętymi liniami drewnianych schodów, rzeźbionych w rzeczy, które normalni ludzie widują tylko po ciężkim seansie czegoś nielegalnego.

Zegar miał bardzo długie wahadło i to wahadło kołysało się w powolnym tik-tak, od którego cierpły zęby... Było to bowiem takie posępne, irytujące tykanie, które chciało absolutnie wyraźnie dać człowiekowi do zrozumienia, że każdy tik i każdy tak odbiera mu kolejną sekundę życia. Ten dźwięk sugerował niezwykle przekonująco, że gdzieś w hipotetycznej klepsydrze znowu osypało się kilka ziarenek piasku. Nie warto nawet wspominać, że ciężarek wahadła miał kształt klingi i był ostry jak brzytwa.

Coś puknęło Rincewinda w kark. Odwrócił się gniewnie.

– Ty synu walizki, mówiłem przecież...

To nie Bagaż stał za nim. To młoda kobieta: srebrnowłosa, srebrnooka i trochę zaskoczona.

– Och – powiedział Rincewind. – Ehm... Witam.

– Ty jesteś żywy? – spytała. Jej głos kojarzył się z parasolkami plażowymi, olejkiem do opalania i zimnymi drinkami.

– Mam taką nadzieję. – Rincewind zastanawiał się, czy jego gruczoły, gdziekolwiek są, dobrze się bawią. – Czasami nie jestem pewien. Co to za dom?

– To dom Śmierci – odparła.

– Aha – rzekł Rincewind. Przesunął językiem po suchych wargach. – No cóż, miło mi było cię poznać, ale chyba muszę już iść...

Złożyła dłonie.

– Nie możesz tak szybko odchodzić! – zawołała. – Nieczęsto gościmy tu żywych. Umarli są strasznie nudni, nie sądzisz?

– A tak – zgodził się gorliwie Rincewind, zerkając w stronę wyjścia. – Przypuszczam, że trudno się z nimi rozmawia.

– Zawsze to samo. „Kiedy jeszcze żyłem..." albo „Za moich czasów naprawdę potrafiliśmy oddychać" – potwierdziła, z uśmiechem kładąc małą dłoń na ramieniu gościa. – I zawsze są tacy staroświeccy. Żadnej zabawy. Oficjalni.

– Sztywni? – podpowiedział Rincewind.

Dziewczyna popychała go w stronę przejścia do dalszych pomieszczeń.

– No właśnie. Jak ci na imię? Bo mnie Ysabell.

– E... Rincewind. Przepraszam bardzo, ale skoro to dom Śmierci, co ty tu robisz? Nie wyglądasz na umarłą.

– Mieszkam tutaj. – Zerknęła na niego czujnie. – Nie przybyłeś chyba po utraconą miłość, prawda? To zawsze tatusia irytuje. Całe szczęście, mówi, że nigdy nie sypia. Inaczej ciągle budziłoby go tupanie młodych bohaterów, którzy schodzą tu na dół, żeby wyprowadzić tłumy głupich dziewcząt. Tak twierdzi.

– To pewnie często się zdarza? – zapytał słabym głosem Rincewind, gdy szli obitym czernią korytarzem.

– Cały czas. Uważam, że to bardzo romantyczne. Tylko nie wolno się oglądać, kiedy wychodzisz.

– Dlaczego?

Wzruszyła ramionami.

– Nie wiem. Może widok nie jest najładniejszy. A czy ty jesteś bohaterem?

– No nie. Nie jako takim. Właściwie wcale. A nawet mniej. Przyszedłem znaleźć mojego przyjaciela – wyjaśnił niepewnie. – Chyba go nie widziałaś? Niewysoki, gruby, dużo gada, w okularach, dziwacznie ubrany?

Mówiąc, zdawał sobie sprawę, że przeoczył coś niezwykle istotnego. Przymknął oczy i spróbował odtworzyć ostatnie minuty konwersacji. I nagle prawda uderzyła go jak worek piasku.

– Tatuś?!

Skromnie spuściła wzrok.

– Adoptował mnie – wyjaśniła. – Mówi, że mnie znalazł, kiedy byłam jeszcze mała. To smutna historia. – Uśmiechnęła się nagle. – Ale chodź. Przedstawię cię. Dzisiaj odwiedzili go koledzy. Jestem pewna, że chętnie cię pozna. Niewielu ludzi spotyka na gruncie towarzyskim. Właściwie ja też – dodała.

– Przepraszam bardzo, ale czy dobrze zrozumiałem? Mówimy o Śmierci, zgadza się? Wysoki, chudy, puste oczodoły, specjalista od kosy?

– Tak. – Westchnęła. – Wygląd świadczy przeciwko niemu. Niestety.

Wprawdzie, jak już wspomniano, Rincewind był dla magii tym, czym rower dla trzmiela, zachował jednak przywilej zarezerwowany dla adeptów sztuki. W chwili zgonu sam Śmierć zjawiał się po niego (zamiast, jak to zwykle ma miejsce, powierzyć to zadanie jakiejś pomniejszej mitycznej antropomorficznej personifikacji). Z powodu niewłaściwej organizacji Rincewind raz po raz nie umierał w odpowiednim czasie. A niepunktualność to cecha, której Śmierć nie lubił najbardziej.

– Przypuszczam, że mój przyjaciel musiał gdzieś zabłądzić – rzekł mag. – Zawsze to robi. Cała historia jego życia to błądzenie. Miło mi było cię poznać, muszę lecieć...

Ona jednak przystanęła już przed wysokimi drzwiami obitymi czerwonym aksamitem. Z drugiej strony dochodziły głosy... przerażające głosy... głosy, których typografia absolutnie nie zdoła przekazać, dopóki ktoś nie stworzy linotypu z pogłosem, a najlepiej również czcionki wyglądającej jak dźwięki wydawane przez głowonoga.

Oto co mówiły głosy:

CZY ZECHCIAŁBYŚ WYJAŚNIĆ TO JESZCZE RAZ?

– Jeśli zrzucisz cokolwiek oprócz atutu, Południe dostanie dwie przebitki, straci jednego Żółwia, jednego Słonia i jeden z Wielkich Arkanów, potem...

– To Dwukwiat – syknął Rincewind. – Ten głos poznałbym zawsze i wszędzie.

MOMENCIK... ZARAZA JEST POŁUDNIEM?

– *Przestań już, Mort. Przecież ci to tłumaczył. A co będzie, jeśli Głód zagra... jak to było... odwróci atutem?* – Był to sapiący, wilgotny głos, właściwie zakaźny sam z siebie.

– Wtedy przebijesz tylko jednego Żółwia zamiast dwóch – wyjaśnił entuzjastycznie Dwukwiat.

– Ale gdyby Wojna od początku wistował atutem, kontrakt byłby bez dwóch?

– Otóż to!

NIE CAŁKIEM ROZUMIEM. OPOWIEDZ JESZCZE O BLEFACH. MAM WRAŻENIE, ŻE ZACZYNAŁEM ŁAPAĆ, O CO CHODZI.

Był to głos ciężki i głuchy, jakby uderzały o siebie dwie bryły ołowiu.

– To wtedy, kiedy licytujesz, żeby przeciwników wprowadzić w błąd. Oczywiście, może to sprawić pewne kłopoty partnerowi...

Głos Dwukwiata rozbrzmiewał entuzjazmem. Przez aksamit sączyły się takie słowa jak „powtórzyć kolor", „podwójny impas" czy „wielki szlem". Rincewind spojrzał tępo na Ysabell.

– Rozumiesz coś z tego? – zapytała.

– Nic a nic – zapewnił.

– Wydaje się, że to strasznie skomplikowane.

POWIEDZIAŁEŚ, ŻE LUDZIE GRAJĄ W TO DLA PRZYJEMNOŚCI? – odezwał się ciężki głos za drzwiami.

– Niektórzy są w tym rzeczywiście świetni. Obawiam się, że ja jestem zaledwie amatorem.

ALE PRZECIEŻ ŻYJĄ TYLKO OSIEMDZIESIĄT, NAJWYŻEJ DZIEWIĘĆDZIESIĄT LAT!

– Ty powinieneś wiedzieć o tym najlepiej, Mort – odpowiedział głos, który Rincewind słyszał już raz i z pewnością wolałby nie słyszeć nigdy więcej, zwłaszcza po ciemku.

– *Z pewnością to bardzo... intrygująca gra.*

ROZDAJ JESZCZE RAZ. ZOBACZYMY, CZY WSZYSTKO ZROZUMIAŁEM.

– Sądzisz, że powinnam tam wejść? – spytała Ysabell.

Głos za drzwiami oznajmił:

LICYTUJĘ... ŻÓŁWIOWEGO WALETA.

– Chwileczkę. Na pewno coś pomyliłeś. Spójrzmy na twoje... Ysabell pchnęła drzwi.

Pokój był dość przytulnym gabinetem. Może trochę ponurym. Możliwe, że zaprojektował go dekorator wnętrz, który miał akurat zły dzień, głowa go bolała, a w dodatku uwielbiał wielkie klepsydry ustawione na każdej płaskiej powierzchni. Dysponował też wieloma wysokimi, grubymi i mocno kapiącymi świecami, których chciał się pozbyć.

Śmierć Dysku był tradycjonalistą. Miał prawo do dumy z jakości świadczonych przez siebie usług, a przez większość czasu chodził ponury, gdyż nikt go nie doceniał. Przypominał, że nikt nie lęka się samej śmierci, ale bólu, rozdzielenia i zapomnienia. To nierozsądne żywić do kogoś pretensje tylko dlatego, że ma puste oczodoły i jest dumny ze swojej pracy. I wciąż używa kosy, zaznaczał często, gdy Śmierci na innych światach już dawno zainwestowali w kombajny.

Teraz siedział przy stole pokrytym czarnym suknem. Dyskutował z Zarazą, Głodem i Wojną. Dwukwiat był jedynym, który podniósł głowę i zauważył Rincewinda.

– Hej, skąd się tu wziąłeś?

– No... Niektórzy twierdzą, że Stwórca chwycił garść... aha, rozumiem. Trudno to wytłumaczyć, ale...

– Znalazłeś Bagaż?

Drewniany kufer przecisnął się obok maga i podbiegł do swego właściciela. Dwukwiat otworzył wieko, pogrzebał we wnętrzu i wyjął niewielki oprawny w skórę tomik. Wręczył go Wojnie.

– To „Zasady dobrej licytacji" Culte'a Berta Nosa – wyjaśnił. – Niezła rzecz. Dobrze tłumaczy podwójny impas i jak należy...

Śmierć wyciągnął kościstą dłoń, chwycił książkę i zaczął przerzucać strony, całkowicie zapominając o obecności dwóch ludzi.

DOBRA, rzucił. ZARAZO, OTWÓRZ NOWĄ TALIĘ. ZROZU-
MIEM, O CO W TYM CHODZI, CHOĆBYM MIAŁ ZDECHNĄĆ...
W PRZENOŚNI OCZYWIŚCIE.

Rincewind złapał Dwukwiata i wywlókł go z pokoju. Po chwili biegli
już korytarzem, ścigani przez galopujący Bagaż.

– O czym wyście mówili? – zapytał.

– Wiesz, mają sporo wolnego czasu – wysapał Dwukwiat. – Pomyślałem, że im się spodoba.

– Co? Gra w karty?

– To wyjątkowa gra. Nazywa się... – Dwukwiat urwał. Języki obce
nie były jego mocną stroną. – W waszej mowie nazywa się, na przykład,
jak ta rzecz, którą przerzucacie przez rzekę. – I dodał: – Tak myślę.

– Akwedukt? – zgadywał Rincewind. – Sieć rybacka? Grobla? Tama?

– Możliwe.

Dotarli do przedpokoju, gdzie wielki zegar wciąż ścinał sekundy
życia świata.

– Jak myślisz, ile czasu im to zabierze?

Dwukwiat przystanął.

– Nie jestem pewien... – mruknął. – Może do ostatniego atutu...
Zadziwiający zegar.

– Nie próbuj go kupować – poradził Rincewind. – Nie sądzę, żeby
się to spodobało właścicielowi.

– A gdzie właściwie jesteśmy? – Dwukwiat skinął na Bagaż i otworzył wieko.

Rincewind spojrzał wokół. Sala była mroczna i pusta, wąskie okna
pokrywał lód. Zerknął w dół... Cienka niebieska linia sięgała do jego
kostki. Teraz dopiero zauważył, że Dwukwiat też ma taką.

– Jesteśmy... jak by to powiedzieć... nieoficjalnie martwi. – Nie
umiał wyjaśnić tego prościej.

– Naprawdę? – Dwukwiat nadal grzebał w Bagażu.

– Czy to cię nie martwi?

– Wiesz, wszystko w końcu jakoś się ułoży. Nie sądzisz? Zresztą
wierzę w reinkarnację. Jako kto chciałbyś powrócić?

– Nie chcę odchodzić – odparł stanowczo Rincewind. – Idziemy.
Musimy się wydostać z... Och, nie! Tylko nie to!

Z głębin Bagażu Dwukwiat wydobył pudełko. Było duże, czarne,
miało z boku dźwignię, a z przodu małe okrągłe okienko. Miało też
pasek, żeby Dwukwiat mógł powiesić je sobie na szyi, co uczynił.

Swego czasu Rincewind lubił ikonoskop. Wierzył, wbrew osobistym doświadczeniom, że świat jest zasadniczo poznawalny, że gdyby tylko zdobył odpowiednie myślowe narzędzia, mógłby zdjąć w nim tylną ściankę i zobaczyć, jak działa. Naturalnie mylił się absolutnie. Ikonoskop nie rejestrował obrazów metodą oświetlania specjalnie przygotowanego papieru, jak podejrzewał Rincewind. Wykorzystywał system o wiele prostszy: małego demona z dobrym okiem do kolorów i ręką szybką przy pędzlu. Rincewind bardzo się zirytował, kiedy to odkrył.

– Nie mamy czasu na obrazki! – syknął.

– To nie potrwa długo – odparł z mocą Dwukwiat i zastukał w ścianę pudełka. Odskoczyły maleńkie drzwi i chochlik wystawił głowę na zewnątrz.

– Niech to piekło! – zawołał. – Gdzie jesteśmy?

– Nieważne – stwierdził Dwukwiat. – Chyba najpierw zegar.

Demon zmrużył oczy.

– Marne światło – uznał. – Trzy cholerne lata na przesłonie f8, moim zdaniem.

Zatrzasnął drzwiczki. Po chwili wewnątrz ikonoskopu zaskrzypiał stołek przysuwany do sztalug.

Rincewind zgrzytnął zębami.

– Nie musisz robić obrazków! – wrzasnął. – Możesz to wszystko zapamiętać!

– To nie to samo – odparł spokojnie turysta.

– Pamięć jest lepsza! Bardziej realna!

– Wcale nie. Kiedy po wielu latach usiądę przy ogniu...

– Będziesz siedział przy ogniu całą wieczność, jeśli się stąd nie wydostaniemy!

– Mam nadzieję, że jeszcze nie wychodzicie.

Odwrócili się obaj. Ysabell stała w przejściu i uśmiechała się lekko. W ręku trzymała przysłowiowo ostrą kosę. Rincewind próbował nie zerkać na swoją błękitną linię życia; dziewczyna z kosą nie powinna uśmiechać się w taki nieprzyjemny, chytry, odrobinę szalony sposób.

– Tatuś jest w tej chwili trochę zajęty, ale z pewnością by nie chciał, żebyście tak po prostu sobie poszli. A poza tym nie mam z kim rozmawiać.

– Kto to jest? – zdziwił się Dwukwiat.

– Ona tak jakby tu mieszka – wymruczał Rincewind. – To tak jakby dziewczyna – dodał.

Chwycił Dwukwiata za ramię i spróbował dyskretnie przesunąć się bliżej drzwi prowadzących w ciemność. Bezskutecznie; głównie dlatego że Dwukwiat nie był człowiekiem, który dostrzega niuanse wyrazu twarzy. Był za to człowiekiem, który jakoś nigdy nie potrafił uwierzyć, że może go spotkać coś złego.

– Jestem oczarowany – rzekł. – Macie tu przemiły domek. Te kości i czaszki dają interesujące barokowe efekty.

Ysabell uśmiechnęła się znowu. Gdyby Śmierć chciał kiedyś przekazać jej rodzinne interesy, pomyślał Rincewind, byłaby lepsza od ojca. To kompletna wariatka.

– Owszem, ale musimy już iść – oznajmił.

– Nie chcę o tym słyszeć – odparła dziewczyna. – Musicie zostać i opowiedzieć mi o sobie. Mamy mnóstwo czasu, a ja tak bardzo się nudzę.

Skoczyła w bok i cięła w lśniące nici życia. Kosa zawyła w powietrzu jak wykastrowany kocur... i zatrzymała się w miejscu.

Skrzypnęło drewno. Bagaż zatrzasnął ostrze pod wiekiem.

Zdumiony Dwukwiat spojrzał na Rincewinda. A mag, z pełną świadomością i niejaką satysfakcją, wyrżnął go pięścią w podbródek. Kiedy niski człowieczek padł na plecy, Rincewind pochwycił go, zarzucił sobie na ramię i ruszył biegiem.

Gałęzie chłostały go w zalanym blaskiem gwiazd ogrodzie. Małe, kudłate i prawdopodobnie straszliwe stwory zmykały na boki, gdy pędził rozpaczliwie wzdłuż cienkiej linii życia, świecącej upiornie na oszronionej trawie.

Z domku rozległ się piskliwy krzyk rozczarowania i gniewu. Rincewind odbił się od drzewa i biegł dalej.

Pamiętał, że gdzieś tu powinna być ścieżka. Ale nic nie wyglądało znajomo w plątaninie srebrzystego blasku i cieni, zabarwionych teraz czerwienią – światło nowej gwiazdy sięgało aż na tamten świat. Zresztą i tak miał wrażenie, że linia życia prowadzi w zupełnie niewłaściwym kierunku.

Za nim rozległ się tupot nóg. Rincewind dyszał z wysiłku; domyślił się, że to Bagaż, którego w tej chwili wolał unikać. Mógł źle zrozumieć wyrżnięcie w podbródek swego pana... a zwykle gryzł ludzi, których nie lubił. Rincewind nigdy jakoś nie odważył się spytać, gdzie trafiają, kiedy zatrzaskuje się nad nimi wieko; ale na pewno już ich nie było, kiedy otwierało się znowu.

Okazało się, że niepotrzebnie się martwił. Bagaż wyprzedził go bez trudu, z niewiarygodną szybkością przebierając małymi nóżkami. Rincewind miał wrażenie, że Bagaż całkowicie koncentruje się na biegu... Jakby wiedział, co ich ściga, i wcale mu się to nie podobało. Nie oglądaj się, przypomniał sobie mag. To pewnie niezbyt przyjemny widok.

Bagaż wbił się w krzaki i zniknął.

W chwilę później Rincewind zobaczył dlaczego. Kufer zeskoczył z krawędzi platformy i spadał teraz do ogromnej dziury, od dołu słabo rozjarzonej czerwonym blaskiem. Dwie migotliwe niebieskie linie biegły od Rincewinda ponad skrajem skały i w dół.

Mag przystanął niepewnie... Choć nie jest to całkiem prawda, ponieważ kilku rzeczy był absolutnie pewien. Na przykład, że wcale nie chce skoczyć... że zupełnie nie ma ochoty na spotkanie z tym, co go ściga... że w świecie duchów Dwukwiat jest całkiem ciężki... i że są rzeczy gorsze niż śmierć.

– Wymień dwie – mruknął do siebie i skoczył.

Po kilku sekundach przybyli jeźdźcy. Nie zahamowali, gdy dotarli do krawędzi. Po prostu jechali dalej, aż ściągnęli wodze nad pustką.

Śmierć spojrzał w dół.

ZAWSZE MNIE TO DENERWUJE, stwierdził. CZASEM MYŚLĘ, ŻE RÓWNIE DOBRZE MÓGŁBYM ZAINSTALOWAĆ DRZWI OBROTOWE.

– Ciekawe, czego chcieli? – zastanowił się Zaraza.

– Nie mam pojęcia – odparł Wojna. – Ale gra jest przyjemna.

– Fakt – przyznał Głód. – Wciągająca.

MAMY CZAS NA JESZCZE JEDNĄ KOBRĘ – uznał Śmierć.

– Robrę – poprawił Wojna.

CO ROBISZ?

– One się nazywają robry.

RZECZYWIŚCIE, ROBRY, przyznał Śmierć. Zerknął na nową gwiazdę, niepewny, co może oznaczać. MYŚLĘ, ŻE MAMY CZAS, powtórzył z odrobiną niepokoju.

Wspomniano już o podjętej na Dysku próbie wymuszenia precyzji opisów. Poetom i bardom pod karą... no, karą... zakazano omawiania szmeru ruczajów i różanopalcej jutrzenki. Mogli wspomnieć o twarzy, co tysiąc statków wyprawiła w morze, pod warunkiem przedstawienia uwierzytelnionych dokumentów stoczni.

Zatem, z poszanowania dla tej tradycji, nie będzie tu powiedziane, że Rincewind i Dwukwiat stali się lodowobłękitną falą mknącą przez mroczne wymiary, że rozbrzmiewał dźwięk podobny do gigantycznego kła walącego o skałę, że całe życie przemknęło im przed oczami (zresztą Rincewind tyle już razy oglądał swe dotychczasowe życie, że potrafił zasnąć przy co nudniejszych scenach) ani że wszechświat runął na nich niby ogromna galareta.

Zostanie powiedziane – gdyż wykazał to eksperyment – że zabrzmiał dźwięk podobny do stuknięcia drewnianą linijką w kamerton nastrojony na cis... może fis, a potem ogarnęło ich uczucie absolutnego bezruchu.

A to dlatego że byli absolutnie nieruchomi i panowała absolutna ciemność.

Rincewindowi przyszło do głowy, że coś się stało.

Zobaczył przed sobą delikatne błękitne linie.

Znowu trafił do wnętrza Octavo. Nie wiedział, co by się stało, gdyby ktoś nagle otworzył księgę. Czy on i Dwukwiat wydaliby się temu komuś barwną ilustracją?

Chyba nie, uznał. Octavo, w którym się znaleźli, było niezwykłą książką przykutą łańcuchem do pulpitu w podziemiach Niewidocznego Uniwersytetu, który z kolei był zaledwie trójwymiarową reprezentacją wielowymiarowego obiektu, a...

Chwileczkę, pomyślał. Przecież nigdy nie myślę w taki sposób. Ktoś myśli to za mnie...

– Rincewindzie... – odezwał się głos podobny do szelestu starych kart.

– Kto? Ja?

– Pewnie że ty, tępaku jeden.

W sercu Rincewinda na moment rozgorzał płomień oporu.

– Przypomnieliście już sobie, jak rozpoczął się wszechświat? – spytał złośliwie. – Odchrząknięciem, prawda? A może Nabraniem Tchu albo Podrapaniem Się Po Głowie czy może Muszę Sobie Przypomnieć, Mam To Na Końcu Języka?

– Lepiej nie zapominaj, gdzie trafiłeś – upomniał go inny głos, suchy jak drewno. Wydaje się niemożliwe wysyczeć zdanie bez żadnych syczących głosek, jednak głos bardzo się starał.

– Nie zapominać, gdzie trafiłem? Nie zapominać, gdzie trafiłem?! – krzyknął Rincewind. – Oczywiście, że nie zapominam. Trafiłem do wrednej księgi i rozmawiam z kupą istot, których nie widzę. I jak myślicie, dlaczego się wydzieram?

– Zastanawiasz się pewnie, dlaczego znowu cię tu sprowadziliśmy? – zapytał głos przy jego uchu.

– Nie.

– Nie?

– Co on powiedział? – dopytywał się inny bezcielesny głos.

– Powiedział: nie.

– Naprawdę powiedział: nie?

– Tak.

– Nie!

– Dlaczego?

– Bez przerwy spotyka mnie coś takiego – wyjaśnił Rincewind. – W jednej chwili spadam ze świata, w następnej jestem w książce, a jeszcze w następnej lecę na skale, potem obserwuję, jak Śmierć uczy się grać w groblę czy tamę, czy coś tam innego. Dlaczego mam się czemukolwiek dziwić?

– No tak... – mruknął pierwszy głos, czując, że traci inicjatywę. – Ale pewnie się zastanawiasz, dlaczego nie chcemy, żeby ktoś nas wypowiedział.

Rincewind się zawahał. Owszem, to pytanie przemknęło mu przez głowę... Tyle że bardzo prędko i rozglądając się nerwowo na boki, żeby na nie coś nie wpadło.

– A czemu ktoś miałby was wypowiedzieć?

– To przez gwiazdę – wyjaśniło zaklęcie. – Czerwoną gwiazdę. Magowie już cię szukają. A kiedy cię znajdą, spróbują wypowiedzieć wszystkie osiem zaklęć i zmienić przyszłość. Uważają, że Dysk zderzy się z tą gwiazdą.

Rincewind pomyślał chwilę.

– A zderzy się? – zapytał.

– Niezupełnie, ale za... Co to jest?!

Rincewind zerknął w dół. Z ciemności wynurzył się Bagaż. Pod wiekiem tkwił długi odłamek z ostrza kosy.

– To tylko Bagaż – wyjaśnił.

– Ale nie przywoływałyśmy go tutaj!

– Nikt go nigdzie nie przywołuje. On po prostu się zjawia. Nie zwracajcie na niego uwagi.

– Aha... O czym mówiliśmy?

– O tej czerwonej gwieździe.

– Racja. To bardzo ważne, żebyś...

– Halo! Halo! Jest tam kto?

Był to cichy, piskliwy głosik i dobiegał z pudełka wciąż zawieszonego na bezwładnej szyi Dwukwiata. Obrazkowy chochlik otworzył luk i zerknął na Rincewinda.

– Gdzie jesteśmy, szefie? – zapytał.

– Nie jestem pewien.

– Ciągle martwi?

– Możliwe.

– Miejmy nadzieję, że dotrzemy gdzieś, gdzie nie będzie trzeba tyle czerni. Czarny się kończy.

Klapka się zatrzasnęła.

Rincewinda nawiedziła ulotna wizja Dwukwiata, który pokazuje wszystkim swoje obrazki i opowiada coś w stylu: „To ja torturowany przez milion demonów" i „To ja z tą zabawną parą, którą poznaliśmy na zamarzniętych zboczach Świata Zmarłych". Rincewind nie był pewien, co spotyka człowieka, który naprawdę umarł. Autorytety wyrażały się w tej sprawie nieco mętnie. Smagły żeglarz z krawędziowych krain był przekonany, że pójdzie do raju, gdzie czekają sorbet i hurysy. Rincewind nie wiedział, co to są hurysy, jednak po głębszym namyśle doszedł do wniosku, że to małe lukrecjowe rurki do ssania sorbetu. Zresztą od sorbetu i tak dostawał kataru.

– Skoro już zakończyliśmy tę dygresję – oznajmił stanowczo suchy głos – może wrócimy do rzeczy. To bardzo ważne, żebyś nie pozwolił magom odebrać sobie zaklęcia. Straszne będą następstwa zbyt wczesnego wypowiedzenia ośmiu zaklęć.

– Chcę tylko, żeby mnie zostawili w spokoju – odparł Rincewind.

– Dobrze, dobrze. Od chwili, gdy otworzyłeś Octavo, wiedzieliśmy, że można ci zaufać.

Rincewind się zawahał.

– Chwileczkę – mruknął. – Chcecie, żebym ciągle uciekał i nie pozwolił magom na zebranie wszystkich zaklęć?

– Właśnie.

– Dlatego jedno z was wskoczyło mi do głowy?

– Otóż to.

– Zrujnowałyście mi życie, wiecie? – oburzył się Rincewind. – Naprawdę zostałbym magiem, gdybyście nie postanowiły mnie wykorzystać jako czegoś w rodzaju przenośnej księgi czarów. Nie mogę zapamiętać żadnych zaklęć, są zbyt przerażone, żeby siedzieć z wami w tym samym umyśle!

– Przykro nam.

– Ja chcę do domu! Chcę wrócić tam, gdzie... – drobinka wilgoci błysnęła w oku maga – ...gdzie czuję bruk pod stopami, gdzie trafia się piwo nie całkiem zwietrzałe, gdzie wieczorem można dostać w miarę świeży kawałek smażonej ryby i może ze dwa wielkie zielone korniszony, a czasem nawet zapiekankę z węgorzem albo potrawkę z trąbików, gdzie zawsze znajdzie się ciepła stajnia do spania, a rano człowiek budzi się w tym samym miejscu, w którym zasypiał wieczorem, i gdzie nie ma takiej pogody dookoła. Zrozumcie, nie obchodzi mnie magia. Pewnie... no wiecie... pewnie nie nadaję się na maga, ale chcę wrócić do domu!

– Musisz jednak... – zaczęło jedno z zaklęć.

Za późno. Nostalgia, cienka gumka w podświadomości, zdolna ściągnąć łososia przez tysiące mil obcych mórz albo popchnąć miliony lemingów do radosnego biegu w stronę ojczystego lądu, który z powodu zakłóceń dryfu kontynentalnego już nie istnieje – ta nostalgia wezbrała w Rincewindzie niczym zjedzone nocą risotto z krewetek, popłynęła wzdłuż napiętej nici łączącej udręczoną duszę z ciałem, zaparła się piętami i szarpnęła...

Zaklęcia pozostały w Octavo same.

To znaczy same, jeśli nie liczyć Bagażu.

Spojrzały na niego nie oczami, ale świadomością starą jak Dysk.

– Ty też zjeżdżaj – powiedziały.

– ...niezłe.

Rincewind wiedział, że on sam to mówi. Poznał po głosie.

Przez chwilę patrzył własnymi oczami nie tak jak zwykle, ale tak jak szpieg mógłby patrzeć przez wycięte oczy portretu. I wreszcie powrócił.

– Wszysztko w porządku, Rinczewindzie? – zapytał Cohen. – Wyglądałeś trochę dziwnie.

– Trochę blady – potwierdziła Bethan. – Jakby ktoś zaczął deptać po twoim grobie.

– Eee... tak, chyba w porządku – odparł. Rozprostował palce i przeliczył je. Wyglądało na to, że ma ich ile trzeba. – Czy ja... czy ja gdzieś się ruszałem?

– Patrzyłeś tylko w ogień, jakbyś zobaczył ducha – wyjaśniła Bethan.

Usłyszał jęk za plecami. Dwukwiat usiadł i ściskał rękami głowę. Oczy dostrzegły ich. Wargi poruszyły się bezgłośnie.

– To naprawdę niezwykły... sen – oświadczył. – Co to za miejsce? Skąd się tu wziąłem?

– No czóż – zaczął Cohen. – Niektórzy twierdzą, że Sztwórcza wziął garść gliny i...

– Ale dlaczego tutaj? Czy to ty, Rincewindzie?

– Tak – potwierdził mag, wątpliwości tłumacząc na swoją korzyść.

– Był taki... zegar i... i ci ludzie, którzy... – Dwukwiat potrząsnął głową. – Dlaczego wszystko tu śmierdzi końmi?

– Chorowałeś – uspokoił go Rincewind. – Miałeś halucynacje.

– A tak... chyba rzeczywiście... – Dwukwiat zerknął na swoją pierś. – Ale w takim razie dlaczego mam...

Rincewind poderwał się na nogi.

– Przepraszam, ale trochę tu duszno. Muszę zaczerpnąć świeżego powietrza – oznajmił. Zdjął Dwukwiatowi z szyi pasek obrazkowego pudełka i skoczył do klapy namiotu.

– Nie zauważyłam tego, kiedy wchodził – stwierdziła Bethan.

Cohen wzruszył ramionami.

Rincewind zdążył odbiec kilka kroków od jurty, nim zastukały tryby pudełka i wysunął się ostatni obrazek chochlika.

Mag pochwycił go i spojrzał.

To, co zobaczył, byłoby wystarczająco straszne nawet w świetle dnia. W lodowatym blasku, zabarwionym czerwienią nowej gwiazdy, wyglądało jeszcze gorzej.

– Nie – wyszeptał Rincewind. – Nie, było przecież całkiem inaczej... ten domek, ta dziewczyna...

– Ty widzisz, co widzisz, a ja maluję, co ja widzę – odparł chochlik, wychylając się na zewnątrz. – To, co ja widzę, jest rzeczywiste. Tak zostałem wyhodowany. Widzę tylko to, co istnieje naprawdę.

W śniegu zachrzęścił mroczny kształt. Rincewind rozpoznał Bagaż. I choć normalnie go nie lubił i mu nie ufał, nagle poczuł, że to najbardziej odświeżająco normalny obiekt, jaki ostatnio spotkał.

– Widzę, że też się wydostałeś – stwierdził.

Bagaż klapnął wiekiem.

– A co ty widziałeś? – zapytał mag. – Oglądałeś się za siebie?

Bagaż nie odpowiedział. Przez chwilę milczeli obaj, niby dwaj wojownicy, którzy umknęli z rzezi i przystanęli, by nabrać tchu i rozsądku. – Chodź – mruknął wreszcie Rincewind. – W środku jest cieplej. Wyciągnął rękę, żeby poklepać wieko Bagażu. Trzasnęło gniewnie i niemal przycięło mu palce. Życie wracało do normy.

Następny dzień wstał jasny, pogodny i mroźny. Niebo zmieniło się w błękitną kopułę ustawioną na białej karcie świata. Całość wywoływałaby efekt takiej świeżości i czystości jak reklama pasty do zębów... gdyby nie różowy punkcik nad horyzontem.

– Teraz widać ją nawet ża dnia – zauważył Cohen. – Czo to jeszt? Spojrzał surowo na Rincewinda, który poczerwieniał.

– Czemu wszyscy patrzą na mnie? – zapytał. – Nie wiem, co to jest. Może kometa albo co.

– Czy wszyscy spłoniemy? – chciała wiedzieć Bethan.

– Nie mam pojęcia. Nigdy jeszcze nie zderzyłem się z kometą.

Jechali kolumną po jaskrawej śnieżnej równinie. Ludzie Koni, którzy najwyraźniej darzyli Cohena niezwykłym szacunkiem, podarowali im wierzchowce i udzielili rady, jak dotrzeć do rzeki Smarl, sto mil w stronę Krawędzi. Cohen uważał, że Rincewind i Dwukwiat znajdą tam łódź płynącą do Morza Okrągłego. Oznajmił też, że z powodu odmrożeń postanowił wyruszyć wraz z nimi.

Bethan natychmiast stwierdziła, że ona także pojedzie. Na wypadek gdyby Cohen chciał, żeby coś mu posmarować.

Rincewind niejasno uświadamiał sobie, że zachodzą jakieś niezwykłe zmiany. Na przykład Cohen spróbował uczesać brodę.

– Mam wrażenie, że wpadłeś jej w oko – zauważył mag.

– Ach, gdybym był o dwadzieścia lat młodszy – westchnął Cohen z żalem.

– Tak?

– Miałbym wtedy sześćdziesiąt siedem.

– A co to ma do rzeczy?

– No... jak to wytłumaczyć... Kiedy byłem młodym człowiekiem i wykuwałem szwe imię w szkale hisztorii świata, wtedy lubiłem, żeby moje kobiety były rude i ogniszte.

– Aha.

– A potem byłem trochę sztarszy i rozglądałem się ża kobietami o jasznych włoszach i ż błyszkiem doświadczenia w oku.

– Naprawdę?

– A potem żnów lat mi przybyło i żacząłem doczeniać kobiety szmagłe i gwałtowne ż natury.

Umilkł. Rincewind czekał.

– I co? – zapytał. – Co potem? Czego teraz szukasz u kobiety? Cohen zerknął na niego zaropiałym okiem.

– Cierpliwości – odparł.

– Niewiarygodne! – zawołał jakiś głos za jego plecami. – Jadę z samym Cohenem Barbarzyńcą!

To był Dwukwiat. Kiedy rankiem odkrył, że oddycha tym samym powietrzem co największy bohater wszystkich czasów, zaczął się zachowywać jak małpa, która zdobyła klucze do plantacji bananów.

– Czy on przypadkiem nie jeszt szarkasztyczny? – upewnił się Cohen.

– Nie. Zawsze się tak zachowuje.

Cohen odwrócił się w siodle. Dwukwiat uśmiechnął się promiennie i z dumą pomachał mu ręką. Cohen burknął coś niechętnie.

– Ma chyba oczy, prawda?

– Tak, ale one nie działają tak jak u innych ludzi. Możesz mi wierzyć. To znaczy... Pamiętasz tę jurtę Ludzi Koni, gdzie spędziliśmy noc?

– Tak.

– Przyznasz chyba, że była trochę ciemna, brudna i cuchnęła jak bardzo chory koń?

– Moim żdaniem to nieżwykle preczyżjny opisz.

– On by się z tobą nie zgodził. Powiedziałby, że to wspaniały barbarzyński namiot, obwieszony skórami bestii upolowanych przez skośnookich wojowników żyjących na pograniczach cywilizacji. Że pachnie rzadkimi, cennymi żywicami zrabowanymi karawanom na bezdrożach... i tak dalej. Nie żartuję – dodał szybko.

– Czy to wariat?

– Coś w tym rodzaju. Ale wariat, który ma bardzo, bardzo dużo pieniędzy.

– W takim razie nie jeszt wariatem. Bywałem w świecie. Kiedy człowiek ma bardżo dużo pieniędży, jeszt po prosztu ekszczentryczny.

Cohen znów się obejrzał. Dwukwiat opowiadał właśnie Bethan, jak Cohen w pojedynkę pokonał wężowych wojowników czarnoksiężnika S'belinde'a i wykradł święty diament z gigantycznego posągu Offlera, boga krokodyla.

Tajemniczy uśmiech zaigrał na wargach barbarzyńcy.

– Jeśli chcesz, mogę mu powiedzieć, żeby się zamknął – zaproponował Rincewind.

– I posłucha?

– Nie, właściwie nie.

– Niech gada – mruknął Cohen. Dłoń opadła mu na rękojeść miecza, wypolerowaną przez dziesięciolecia częstego używania. – Zresztą podobają mi się jego oczy. Widżą poprzeż pięćdziesiąt lat.

Pięćdziesiąt sążni za nimi, podskakując niezgrabnie w głębokim śniegu, podążał Bagaż. Nikt nigdy nie pytał go o opinię w żadnej sprawie.

Przed wieczorem dotarli na skraj wyżyny i wjechali w mroczny sosnowy las. Niedawna burza przyprószyła śniegiem drzewa. Wokół rozciągał się pejzaż ogromnych spękanych głazów i wąwozów tak głębokich i wąskich, że w ich głębi dzień trwał najwyżej dwadzieścia minut. Dzika, wietrzna kraina, gdzie człowiek mógł spotkać...

– Trolle – rzekł Cohen, wciągając nosem powietrze.

Rincewind rozejrzał się czujnie w czerwonym blasku zachodzącego słońca. Całkiem zwyczajne skały nagle wydały mu się podejrzanie pełne życia. Cienie, na które normalnie by nie spojrzał po raz drugi, nagle zaczęły sprawiać wrażenie straszliwie zatłoczonych.

– Lubię trolle – oznajmił Dwukwiat.

– Wcale nie lubisz – odparł stanowczo Rincewind. – Nie możesz lubić. Są wielkie, kanciaste i zjadają ludzi.

– Nie żjadają – wtrącił Cohen. Niezgrabnie zsunął się z siodła i rozmasował kolana. – To żwykłe nieporożumienie. Trolle jeszcze nikogo nie żjadły.

– Nie?

– Nie. Żawsze wypluwają kawałki. Nie mogą sztrawić człowieka, rożumiesz. Przeciętny troll nie chce od życia niczego prócz szolidnego kawałka granitu i może jeszcze ładnej płyty piaskowcza na deszer. Szłyszałem kiedyś, że to dlatego, że szą żbudowane z szili... sziliko... – Cohen zająknął się i skubnął brodę. – Szą żbudowane że szkały.

Rincewind kiwnął głową. Oczywiście trolle znane były w Ankh-Morpork, gdzie często znajdowały zatrudnienie w gwardii tego czy innego bogacza. Ich utrzymanie było dość kosztowne, dopóki nie nauczyły się, do czego służą drzwi. Wcześniej po prostu wychodziły z domu przez ściany.

Zaczęli zbierać chrust, a Cohen opowiadał dalej.

– Żęby trolli... to jeszt czoś.

– Dlaczego? – zdziwiła się Bethan.

– Diamenty. Muszą takie być. To jedyna rzecz, która może gryźć szkałę... A i tak czo roku muszą im wyrasztać nowe.

– Skoro już mowa o zębach... – wtrącił Dwukwiat.

– Tak?

– Trudno nie zauważyć...

– Tak?

– Och, nic takiego – mruknął Dwukwiat.

– Tak? Aha. Lepiej rożpalmy ogień, żanim żapadnie mrok. A potem... – Cohen skrzywił się. – Chyba ugotujemy jakąś żupę.

– Rincewind się tym zajmie – oświadczył z entuzjazmem Dwukwiat. – Wie wszystko o ziołach, korzonkach i w ogóle.

Cohen obrzucił maga spojrzeniem sugerującym, że on – Cohen – w to nie wierzy.

– Ludzie Koni dali nam trochę szuszonego końszkiego mięsza – stwierdził. – Gdybyś poszukał dzikiej czebuli i ziół, lepiej by szmakowało.

– Ale ja... – zaczął Rincewind i zrezygnował.

Przecież wiem, jak wygląda cebula, pomyślał. Jest biała, pękata, i takie zielone sterczy jej na czubku. Powinna się rzucać w oczy.

– Pójdę i się rozejrzę, dobrze? – zaproponował.

– Bardżo dobrze.

– Może tam, w tych gęstych, ciemnych krzakach?

– Doszkonałe miejszce.

– Tam, gdzie są te głębokie jary i w ogóle?

– Świetny wybór.

– Tak właśnie myślałem – mruknął Rincewind z goryczą.

Wyruszył, zastanawiając się, jak przywołać cebulę. Wprawdzie na straganach zwykle widywał ją w wiankach, ale chyba w wiankach nie rosła. Może chłopi używają szkolonych psów albo śpiewają pieśni, żeby ją wywabić?

Kilka gwiazd błysnęło już na nieboskłonie, gdy Rincewind zaczął grzebać bezmyślnie wśród liści i traw. Pod stopami sterczały świecące grzyby, nieprzyjemnie organiczne i wyglądające jak erotyczne zabawki gnomów. Gryzły go małe latające stworzonka. Inne, na szczęście niewidoczne, skakały albo pełzały w gąszczu i skrzeczały na niego z wyrzutem.

– Cebule – szeptał Rincewind. – Są tu jakieś cebule?

– Cały ich zagon rośnie pod tamtym starym cisem – podpowiedział jakiś głos.

– Aha – mruknął Rincewind. – To dobrze.

Zapadła cisza, zakłócana jedynie brzęczeniem moskitów wokół uszu maga.

– Przepraszam... – odezwał się po chwili.

– Tak?

– Który to cis?

– Ten mały i sękaty, z krótkimi ciemnozielonymi igłami.

– A tak, widzę. Dziękuję bardzo.

Nie ruszał się.

– Czy mogę jeszcze w czymś pomóc? – zapytał uprzejmie głos.

– Nie jesteś drzewem, prawda? – Rincewind wciąż patrzył prosto przed siebie.

– Nie żartuj. Drzewa nie potrafią mówić.

– Przepraszam. Ostatnio miałem pewne kłopoty z drzewami... Wiesz, jak to jest.

– Nie bardzo. Jestem kamieniem.

Rincewindowi głos niemal się nie zmienił.

– Rozumiem, rozumiem – zapewnił ostrożnie. – No cóż, pójdę chyba po te cebule.

– Smacznego.

Ruszył spokojnym, godnym krokiem. Wypatrzył kępkę skulonych w ściółce włóknistych białych roślin, wyrwał je starannie i dopiero wtedy się odwrócił.

Niedaleko zauważył kamień. Ale kamienie leżały wszędzie – w tej okolicy sam kościec Dysku tkwił tuż pod powierzchnią ziemi.

Surowym wzrokiem zmierzył cis, na wypadek gdyby to jednak on się odzywał. Ale cis, jako drzewo lubiące samotność, nie słyszał o Rincewindzie, Zbawicielu Pni. Zresztą i tak spał.

– Jeśli to ty, Dwukwiacie, to od razu cię poznałem – oznajmił Rincewind. W wieczornym mroku zabrzmiało to bardzo wyraźnie i bardzo samotnie.

Przypomniał sobie jedyny fakt, którego był pewien co do trolli: w świetle dnia zamieniały się w kamienie. Kto zatrudniał trolle do dziennej pracy, tracił majątek na kremy ochronne.

Teraz jednak uświadomił sobie, że nigdzie nie słyszał, co się dzieje, gdy słońce zachodzi...

Resztki dziennego światła spłynęły z widnokręgu. I nagle wydało mu się, że wokół leży mnóstwo kamieni.

– Strasznie długo szuka tej cebuli – zauważył Dwukwiat. – Może lepiej my jego poszukamy?

– Magowie potrafią się o siebie żatroszczyć – odparł Cohen.

– Możesz być szpokojny.

Skrzywił się. Bethan obcinała mu paznokcie u nóg.

– Właściwie to on nie jest świetnym magiem. – Dwukwiat przysunął się do ognia. – Nie powiedziałbym mu tego w twarz, ale... – Pochylił się do Cohena. – Nie widziałem jeszcze, żeby czarował.

– Dobrze, teraz druga – rzekła Bethan.

– To bardżo miło ż twojej sztrony.

– Miałbyś piękne stopy, gdybyś tylko chciał o nie zadbać.

– Jakoś nie mogę się tak szchylać jak kiedyś – wyjąkał nieśmiało Cohen. – W mojej praczy nieczęszto szpotyka się pedikiurzysztów. To żabawne. Walczyłem ż czałymi maszami kapłanów węży, szalonych bogów, czarnoksiężników, ale nigdy ż pedikiurzysztą. Pewnie źle by to brzmiało: Cohen przeciwko Pedikiurzysztom...

– Albo: Cohen i Kręgarze Zguby – podpowiedziała Bethan.

Cohen zachichotał.

– Albo: Cohen i Szalony Dentysta! – zaśmiał się Dwukwiat.

Cohen spoważniał natychmiast.

– Czo w tym żabawnego? – spytał głosem brzmiącym jak cios.

– No ten... jak by tu... Widzisz, twoje zęby...

– Czo ż nimi? – warknął Cohen.

– Trudno nie zauważyć, że ich nie... ehem... geograficznie nie znajdują się w tej samej pozycji co twoje usta.

Cohen spojrzał na niego groźnie. Nagle spuścił głowę... stał się bardzo mały i stary.

– Niesztety, to prawda – mruknął. – Nie mam pretenszji. Ciężki jeszt losz beżżębnego bohatera. Nieważne, czo jeszcze sztraciłeś, nawet ż jednym okiem można dobrze szobie radzić... Ale jak tylko pokażesz uszta ż szamymi dziąszłami, nikt nie ma dla ciebie szaczunku.

– Ja mam – wtrąciła lojalnie Bethan.

– Czemu nie postarasz się o nowe? – spytał Dwukwiat bystro.

– Wiesz, gdybym był rekinem albo czo, to owszem, czemu nie – burknął sarkastycznie Cohen.

– Nie, nie, przecież się je kupuje. Czekaj, pokażę ci... hm...
Bethan, czy mogłabyś przez chwilę patrzeć w inną stronę?

Zaczekał, aż się odwróci, po czym sięgnął do ust.

– Żobacz – powiedział.

Bethan usłyszała zdumione sapnięcie Cohena.

– Możesz je wyjmować?

– Pewnie. Mam parę żesztawów. Przepraszam... – Rozległ się odgłos jakby przełykania, po czym Dwukwiat kontynuował już normalnie: – Jak się domyślasz, to bardzo wygodne.

– Jaszne, że się domyślam. – Głos Cohena wręcz ociekał zachwy-
tem czy też takim podziwem, jaki możliwy jest bez zębów. A jest on
mniej więcej taki sam jak z zębami, tyle że wywiera o wiele mniejsze
wrażenie. – A kiedy bolą, zwyczajnie je wyciągasz i niech robią czo
chcą, czo? Pokażujesz tym małym łobużom, jak to jeszt, kiedy mogą
szame siebie boleć.

– To niezupełnie tak – wyjaśnił ostrożnie Dwukwiat. – One nie są
moje, ja tylko je mam.

– Wkładasz szobie do uszt czudże zęby?

– Nie, ktoś je dla mnie zrobił. Tam, skąd pochodzę, wielu ludzi
takie nosi. To...

Jednak opowieść Dwukwiata o protetyce nie została wygłoszona,
ponieważ ktoś go uderzył.

Mały księżyc Dysku sunął po niebie. Dzięki nieprzemyślanym
i niezbyt funkcjonalnym rozwiązaniom Stwórcy świecił
własnym światłem. Tłoczyły się na nim rozmaite boginie księżyca. W tej chwili nie zwracały uwagi na to, co działo się na Dysku,
pisały bowiem petycję w sprawie Lodowych Gigantów.

Gdyby spojrzały w dół, zobaczyłyby Rincewinda prowadzącego
ożywioną dyskusję z grupą kamieni.

Trolle należą do najstarszych form życia w multiwersum. Są efek-
tem wczesnych prób rozruszania interesu z życiem, bez całej tej wilgotnej protoplazmy. Trolle żyją bardzo długo; hibernują latem i śpią
w dzień, ponieważ upał źle na nie wpływa i bardzo spowalnia funkcjo-
nowanie. Mają fascynującą geologię. Można dyskutować o ich trybolo-
gii, wspominać efekt półprzewodnictwa w zanieczyszczonych war-
stwach krzemowych, opowiadać o gigantycznych trollach z czasów
prehistorycznych – tworzą większość głównych łańcuchów górskich

Dysku i gdyby się przebudziły, niewątpliwie wywołałyby sporo poważnych problemów. Jednakże prawda jest taka, że bez potężnego, przenikliwego pola magicznego Dysku trolle wyginęłyby już dawno. Na Dysku nie wymyślono psychiatrii. Nikt nigdy nie podtykał Rincewindowi pod nos atramentowego kleksa, żeby sprawdzić, czy wszystkie klocki w jego mózgu leżą na swoich miejscach. Dlatego potrafił opisać kamienie zmieniające się nagle w trolle tylko przez odwołanie się do obrazów dostrzeganych nagle w płomieniach albo chmurach na niebie.

W jednej chwili na ziemi leżał całkiem zwyczajny kamień i nagle kilka pęknięć, które były widoczne przez cały czas, nabierało wyraźnych kształtów ust czy spiczastego ucha. Jeszcze chwila, a praktycznie bez żadnej zmiany siedział w tym miejscu troll i uśmiechał się do maga, ukazując diamentowe zęby.

Nie będą w stanie mnie przetrawić, powtarzał sobie Rincewind. Byłoby im po mnie okropnie niedobrze.

Nie pocieszało go to specjalnie.

– A więc to ty jesteś magiem Rincewindem – odezwał się najbliższy. Brzmiało to, jakby ktoś biegł po żwirze. – Sam nie wiem. Myślałem, że będziesz wyższy.

– Może to od erozji – zauważył drugi. – Legenda jest okropnie stara.

Rincewind przesunął się z zakłopotaniem. Był przekonany, że kamień, na którym usiadł, zmienia kształt. A malutki troll, nieco tylko większy od kamyka, usiadł przyjaźnie obok jego nogi i obserwował go z najwyższym zaciekawieniem.

– Legenda? – zapytał mag. – Jaka legenda?

– Od zachodu historii* przekazywana od gór do żwiru – odparł pierwszy troll. – Kiedy czerwona gwiazda rozjaśni niebo, mag Rincewind przybędzie tu szukać cebuli. Nie gryźcie go. To bardzo ważne. Macie mu pomóc zachować życie.

Przez chwilę trwała cisza.

– To wszystko? – upewnił się Rincewind.

– Tak. Zawsze nas to dziwiło. Nasze legendy są na ogół o wiele ciekawsze. A w tamtych czasach życie kamienia było pełne emocji.

---

* Interesująca metafora. Dla żyjących nocą trolli wschód historii leży, naturalnie, w przyszłości.

– Naprawdę?

– Tak. Zabawa bez końca. Wszędzie wulkany. Być kamieniem to naprawdę coś znaczyło. Żadnych osadowych głupot. Byłeś wulkaniczny albo byłeś nikim. To już minęło, naturalnie. Pomyśleć, kto teraz nazywa się trollem... Czasami zwykłe łupki... nawet kreda. Wolałbym się nie odzywać, gdyby można było mną pisać. Prawda?

– Absolutna – zgodził się pospiesznie Rincewind. – Ani słówkiem. A ta... no, ta legenda... Nie wolno wam mnie gryźć?

– Zgadza się! – zawołał mały troll obok stopy maga. – I to ja ci powiedziałem, gdzie szukać cebuli!

– Cieszymy się, że wreszcie przybyłeś – oświadczył pierwszy z trolli. Rincewind nie mógł nie zauważyć, że jest największy. – Trochę nas martwi ta nowa gwiazda. Co ona oznacza?

– Nie wiem – odparł Rincewind. – Wszystkim się wydaje, że powinienem coś wiedzieć, ale to nieprawda.

– Rzecz nie w tym, że boimy się roztopić – mówił dalej wielki troll. – Tak przecież się u nas zaczęło. Ale pomyśleliśmy, że może to oznaczać koniec wszystkiego, a to nie jest chyba najlepsze.

– Ona rośnie – zauważył inny troll. – Popatrzcie. Jest większa niż wczoraj w nocy.

– Pomyśleliśmy, że mógłbyś nam coś poradzić – rzekł najważniejszy troll tak pokornie, jak to tylko możliwe, gdy się mówi głosem brzmiącym niczym zgrzyt granitu.

– Moglibyście wyskoczyć za Krawędź – zaproponował Rincewind. – We wszechświecie musi być mnóstwo miejsc, którym przyda się parę dodatkowych kamieni.

– Słyszeliśmy o tym. Spotkaliśmy kamienie, które tego próbowały. Mówią, że najpierw lecisz przez miliony lat, potem rozgrzewasz się i wypalasz, wreszcie kończysz na dnie wielkiej dziury w krajobrazie. Nie brzmi to zachęcająco.

Troll wstał z chrzęstem, jakby węgiel zsypywał się do paleniska. Rozprostował grube, sękate ramiona.

– No cóż, powinniśmy ci pomóc – rzekł. – Co zamierzasz robić?

– Miałem ugotować zupę – wyjaśnił Rincewind.

Machnął pękiem cebuli. Prawdopodobnie nie był to najbardziej heroiczny ani sensowny z jego gestów.

– Zupę? – powtórzył troll. – To wszystko?

– No... może jeszcze jakieś sucharki.

Trolle spoglądały po sobie, demonstrując dość ustnej biżuterii, by starczyło na zakup średniej wielkości miasta.

W końcu głos zabrał największy.

– Dobrze. Niech będzie zupa. – Ze zgrzytem wzruszył ramionami. – Po prostu wyobrażaliśmy sobie, że legenda będzie, no... trochę bardziej... Sam nie wiem. Myślałem, że... chociaż to pewnie bez znaczenia. Wyciągnął rękę podobną do kiści skamieniałych bananów.

– Jestem Kwartz – przedstawił się. – Tamten to Kryzopraz, dalej Brekcja, Jaspis i moja żona Beryl... trochę metamorficzna, ale kto taki nie jest w dzisiejszych czasach... Jaspis, zejdź z jego nogi.

Rincewind delikatnie ujął dłoń trolla, szykując się na chrzęst miażdżonej kości. Nie nastąpił. Palce były szorstkie, trochę omszałe wokół paznokci.

– Przepraszam – wymruczał mag. – Nigdy jeszcze nie spotkałem trolli.

– Jesteśmy wymierającą rasą – wyjaśnił ze smutkiem Kwartz. – Młody Jaspis to jedyny kamyk w naszym plemieniu. Cierpimy od filozofii.

– Tak? – zdziwił się uprzejmie Rincewind.

Z wysiłkiem dotrzymywał im kroku. Gromada trolli poruszała się bardzo szybko, ale też bardzo cicho. Wielkie obłe kształty sunęły przez noc jak widma. Ich przejście znaczył z rzadka jedynie śmiertelny pisk nocnego stworzenia, które nie usłyszało ich kroków.

– A tak. Jesteśmy jej męczennikami. W końcu dopada nas wszystkich. Pewnego wieczoru, powiadają, zaczynasz się budzić, zadajesz sobie pytanie: „Po co to wszystko?", i już nie kończysz. Widzisz te głazy?

Rincewind dostrzegł jakieś ciemne sylwetki w trawie.

– Ten na końcu to moja ciotka. Nie wiem, o czym myśli, ale nie poruszyła się od dwustu lat.

– Strasznie mi przykro.

– Żaden problem, póki tu jesteśmy i dbamy o nich – odparł Kwartz. – W okolicy nie ma ludzi. Wiem, że to nie wasza wina, ale jakoś nie potraficie odróżnić myślącego trolla od zwykłej skały. Brat mojego dziadka został wręcz rozłupany.

– To straszne!

– Tak. W jednej chwili był trollem, a w następnej ozdobnym kominkiem.

Przystanęli pod znajomym urwiskiem. W ciemności żarzyły się zdeptane resztki ogniska.

– Wygląda na to, że toczyła się tu walka – zauważyła Beryl.

– Wszyscy zniknęli! – jęknął Rincewind. Pobiegł na kraniec polany. – Konie też! Nawet Bagaż!

– Któryś z nich przeciekał. – Kwartz przyklęknął. – To ta czerwona wodnista substancja, którą macie we wnętrzu. Zobacz.

– Krew!

– Tak się nazywa? Nigdy nie rozumiałem, po co jest wam potrzebna.

Rincewind biegał dookoła jak ktoś, kto właśnie traci rozum. Zaglądał pod krzaki, sprawdzając, czy ktoś się tam nie chowa. Dlatego właśnie potknął się o niewielką zieloną butelkę.

– Maść Cohena! – wyjęczał. – On się nigdzie bez niej nie rusza!

– No cóż – rzekł Kwartz. – Wy, ludzie, też coś takiego robicie... To znaczy jak my, kiedy zwalniamy zupełnie i zarażamy się filozofią... Tylko że wy rozpadacie się na kawałki...

– To się nazywa umieranie! – wrzasnął Rincewind.

– No właśnie. Oni tego nie zrobili, ponieważ ich tu nie ma.

– Chyba że ktoś ich zjadł – wtrącił podniecony Jaspis.

– Hm – mruknął Kwartz.

– Wilki? – spytał Rincewind.

– Już wiele lat temu spłaszczyliśmy wszystkie wilki w okolicy – oznajmił troll. – To znaczy dziadunio je spłaszczył.

– Nie lubił ich?

– Nie, po prostu nie patrzył, po czym chodzi. Hm... – Troll jeszcze raz zbadał grunt. – Tutaj są ślady – oświadczył. – Dużo koni.

Spojrzał na niedalekie góry, gdzie strome urwiska i niebezpieczne szczyty wyrastały ponad zalanym blaskiem księżyca lasem.

– Tam żyje dziadunio – stwierdził cicho.

Coś w tonie jego głosu przekonało Rincewinda, że nie chciałby poznać tego dziadunia.

– Jest groźny? – spróbował odgadnąć.

– Jest bardzo stary, wielki i złośliwy. Nie widzieliśmy go od lat.

– Od stuleci – poprawił Jaspis, podskakując na palcach Rincewinda.

– To się czasem zdarza, kiedy naprawdę stary i wielki troll wyrusza samotnie w góry i... hm... skała bierze górę, jeśli rozumiesz, o co mi chodzi.

– Nie.

Kwartz westchnął.

– Ludzie zachowują się niekiedy jak zwierzęta, prawda? Troll zaczyna myśleć jak skała, a skały nie bardzo lubią ludzi.

Brekcja, chudy troll pokryty z zewnątrz piaskowcem, postukał Kwartza w ramię.

– Musimy chyba iść za nimi? – zapytał. – Legenda nakazuje pomagać temu błotnistemu Rincewindowi.

Kwartz powstał, chwycił maga za kark i ze zgrzytem usadził go sobie na ramieniu.

– Idziemy – rzekł stanowczo. – Jeśli spotkamy dziadunia, spróbuję mu wytłumaczyć...

Dwie mile dalej konie człapały gęsiego przez noc. Trzy niosły fachowo zakneblowanych i związanych jeńców. Czwarty na dwóch drągach ciągnął tobogan, na którym związany i oplatany siecią leżał Bagaż.

Herrena szeptem nakazała postój i skinęła na jednego z ludzi.

– Jesteś pewien? – spytała. – Niczego nie słyszę.

– Widziałem sylwetki trolli – odparł spokojnie.

Rozejrzała się. Las był tu rzadszy, a rumowisko sięgało aż do łysego skalistego wzgórza, wyglądającego szczególnie nieprzyjemnie w blasku czerwonej gwiazdy.

Niepokoiła ją ta ścieżka. Była bardzo stara, ale ktoś musiał ją tu wytyczyć... A trolle bardzo trudno zabić.

Westchnęła. Nagle wydało jej się, że kariera sekretarki ma jednak pewne zalety.

Nie po raz pierwszy uświadomiła sobie, jak wiele problemów nastręcza życie wojowniczki. Na przykład to, że mężczyźni nie traktowali jej poważnie, dopóki ich nie zabiła, ale wtedy to już naprawdę nie miało znaczenia. Te skórzane ubrania, od których dostawała wysypki, ale których niezłomnie wymagała tradycja. I jeszcze piwo. Tacy jak Hrun Barbarzyńca czy Cimbar Zabójca mogli całymi nocami urządzać pijatyki w nędznych spelunkach, jednak Herrena nie pozwalała sobie na to... o ile nie sprzedawali uczciwych drinków w małych naczyniach, najlepiej z wisienką. Co do toalety...

Była jednak za duża na złodziejkę, zbyt uczciwa na skrytobójczynię, zbyt inteligentna na żonę i zbyt dumna, by podjąć jedyną powszechnie dostępną damską profesję.

Dlatego została wojowniczką. Zupełnie dobrą. Zgromadziła już skromną fortunę, którą starannie odkładała na przyszłość. Co do tej przyszłości, na razie pewne było tylko jedno: znajdzie się w niej bidet, jeśli tylko Herrena będzie w tej sprawie miała cokolwiek do powiedzenia.

W dali trzasnęło pękające drewno. Dla trolli omijanie drzew nie miało sensu.

Znowu zerknęła na wzgórze. Dwa niewysokie grzbiety sięgały na prawo i lewo, przed sobą dostrzegła spory garb, a w nim... zmrużyła oczy... chyba jaskinie.

Jaskinie trolli. Ale to może lepsze niż włóczenie się po nocy. Kiedy wzejdzie słońce, skończą się kłopoty.

Pochyliła się do Gancii, przywódcy morporskich najemników. Nie była z niego zadowolona. Fakt, że był silny jak wół i wytrzymały jak wół. Niestety, miał też rozum wołu. I wojowniczość łasicy. Jak większość chłopców z przedmieść Morpork, bez wahania sprzedałby swoją babcię za bezcen... i pewnie już to zrobił.

– Schowamy się w jaskini, a przy wejściu rozpalimy wielkie ognisko – oznajmiła. – Trolle nie lubią ognia.

Obrzucił ją spojrzeniem sugerującym, że ma własny pogląd na sprawę, kto tu powinien wydawać rozkazy. Jednak głośno powiedział:

– Ty jesteś szefem.

– Zgadza się.

Herrena obejrzała się na trójkę więźniów. Kufer był jak należy – Trymon opisał go szczegółowo. Ale żaden z mężczyzn nie przypominał maga. Nawet nieudanego maga.

– Ojej – mruknął Kwartz.

Trolle przystanęły i noc otuliła je jak aksamit. Sowa zahukała upiornie – przynajmniej Rincewind sądził, że to sowa. Ornitologia nie była jego mocną stroną. Może to słowik zahukał... albo drozd? Nietoperz zatrzepotał mu nad głową. Tego Rincewind był prawie pewien.

Był też bardzo zmęczony i mocno poobijany.

– Dlaczego ojej? – zapytał.

Wytężył wzrok. Na zboczu góry dostrzegł wyraźny jasny punkt. To mogło być ognisko.

– Aha – mruknął. – Nie lubicie ognia, tak?

Kwartz skinął głową.

– Niszczy efekt nadprzewodnictwa w naszych mózgach – wyjaśnił.

– Ale takie małe ognisko nie zrobi wrażenia na dziaduniu.

Rincewind rozejrzał się czujnie, nasłuchując, czy nie nadchodzi rozjuszony troll. Widział już, co potrafią zrobić z lasem zwykłe trolle. Nie miały niszczycielskiej natury, po prostu materię organiczną traktowały jak rodzaj irytującej mgiełki.

– Miejmy nadzieję, że ich nie znajdzie – powiedział.

Kwartz westchnął.

– Mała szansa – rzekł. – Rozpalili mu ogień w ustach.

– Czo ża wsztyd! – jęknął Cohen. Bezskutecznie szarpał więzy. Dwukwiat przyglądał mu się tępo. Pocisk z procy Gancii nabił mu sporego guza z tyłu głowy. Turysta nie był pewien paru rzeczy, poczynając od własnego nazwiska.

– Powinienem naszłuchiwać – burczał Cohen. – Powinienem uważać, a nie szłuchać tej gadaniny o... jak im tam... o proteżach. Robię się miękki.

Uniósł się na łokciach. Herrena i jej ludzie stali wokół ogniska przy otworze jaskini. Bagaż leżał w kącie cichy, nieruchomy i oplątany siecią.

– Ta jaskinia jest jakaś dziwna – zauważyła Bethan.

– Czo?

– Popatrz tylko. Widziałeś kiedy takie skały?

Cohen musiał przyznać, że głazy u wyjścia są niezwykłe; każdy wyższy od człowieka, ułożone w półokrąg, mocno wytarte i zadziwiająco błyszczące. Podobny półokrąg sterczał ze stropu. Całość sprawiała wrażenie kamiennego komputera zbudowanego przez druida mającego tylko niejasne pojęcie o geometrii i żadnego wyczucia grawitacji.

– Przyjrzyj się ścianom.

Cohen zerknął na najbliższą z nich. W skale biegły żyły czerwonego kryształu. Nie był całkiem pewien, ale zdawało mu się, że w głębi rozbłyskują i gasną maleńkie punkciki światła.

Wiał też wiatr – równy podmuch z czarnej głębi jaskini.

– Kiedy wchodziliśmy, wiało w drugą stronę – szepnęła Bethan. – Jestem pewna. Co o tym myślisz, Dwukwiacie?

– Nie znam się na jaskiniach – odparł turysta. – Ale wydaje mi się, że bardzo ciekawy stalaktyt zwisa ze stropu, o tam. Jakiś taki obły, prawda?

Spojrzeli.

– Nie potrafię tego dokładnię wyrazić – oświadczył Dwukwiat. – Ale chyba dobrze byłoby się stąd wynieść.

– O tak – burknął ironicznie Cohen. – Żwyczajnie poprosimy tych ludzi, żeby nasz rozwiążali i wypuścili, czo?

Cohen niezbyt długo przebywał w towarzystwie Dwukwiata. Inaczej nie byłby tak zdziwiony, gdy turysta z entuzjazmem kiwnął głową i odezwał się głośno, powoli i wyraźnie, co uważał za alternatywę mówienia w obcych językach.

– Przepraszam bardzo! Czy moglibyście nas rozwiązać i wypuścić? Trochę tu wilgotno i są przeciągi. Dziękuję.

Bethan zerknęła na Cohena.

– Czy on powinien mówić coś takiego?

– Przyznaję, że to nowość.

Trójka ludzi oddzieliła się od grupy przy ognisku i podeszła bliżej. Sądząc z ich min, nie mieli zamiaru nikogo rozwiązywać. Dwaj mężczyźni wyglądali wręcz na takich, co na widok związanych jeńców zaczynają bawić się nożami, robić złośliwe uwagi i uśmiechać się ironicznie.

Zamiast dokonać prezentacji, Herrena wyjęła miecz i skierowała ostrze w serce Dwukwiata.

– Który z was jest magiem Rincewindem? – zapytała. – Znaleźliśmy cztery konie. Czy on jest między wami?

– Hm... Nie wiemy, dokąd poszedł – odparł Dwukwiat. – Szukał cebuli.

– W takim razie jesteście jego przyjaciółmi i spróbuje was ratować – orzekła Herrena.

Przyjrzała się Bethan i Cohenowi, a potem uważniej Bagażowi.

Trymon wyraźnie zaznaczył, że nie powinni dotykać Bagażu. Ale ciekawość podobno zabiła kota, a ciekawość Herreny mogłaby zmasakrować stado lwów.

Wojowniczka rozcięła sieć i chwyciła wieko.

Dwukwiat drgnął.

– Zamknięty – oznajmiła po chwili. – Gdzie klucz, grubasie?

– Nie ma... – wyjąkał turysta. – Do niego nie ma klucza.

– Przecież jest dziurka – zauważyła.

– No tak, ale jeśli on chce być zamknięty, to będzie zamknięty – wyjaśnił zakłopotany Dwukwiat.

Herrena wyczuła drwiący uśmiech Gancii.

– Otwórzcie skrzynię – warknęła. – Gancia, ty tego dopilnujesz.

Stanowczym krokiem wróciła do ogniska.

Gancia wydobył długi, wąski nóż i pochylił się nad Dwukwiatem.

– Kazała otworzyć – rzekł.

Z uśmiechem spojrzał na towarzysza.

– Kazała otworzyć, Weems – powtórzył.

– Tak.

Gancia wolno pomachał Dwukwiatowi nożem przed nosem.

– Posłuchajcie – tłumaczył cierpliwie więzień. – Nie zrozumieliście. Nikt nie potrafi otworzyć Bagażu, jeśli jest akurat w zamkniętym nastroju.

– A tak, zapomniałem – mruknął zamyślony Gancia. – To magiczny kufer podobno. Z małymi nóżkami podobno. Weems, czy z twojej strony widać jakieś nóżki? Nie?

Przytknął Dwukwiatowi ostrze do gardła.

– Naprawdę mnie to irytuje – stwierdził. – Weemsa również. On nie mówi za wiele, ale wiecie, co robi zamiast tego? Wyrywa ludziom kawałki ciała. Zatem... otwórzcie... tę... skrzynię!

Odwrócił się i kopnął kufer, zostawiając na ściance brzydką rysę. Coś szczęknęło cicho.

Gancia z szerokim uśmiechem patrzył, jak wieko unosi się powoli, jakby niechętnie. Słaby blask ognia oświetlił złoto – mnóstwo złota: naczynia, łańcuchy i monety, ciężkie i lśniące w migotliwych cieniach.

– Dobrze – syknął Gancia.

Obejrzał się na nieświadomych niczego ludzi przy ognisku. Potem z namysłem popatrzył na Weemsa. Bezgłośnie poruszał wargami, nieprzyzwyczajony do wysiłku liczenia w pamięci.

Zerknął na nóż.

I wtedy zakołysała się podłoga.

– Coś słyszałem – oznajmił jeden z mężczyzn. – Tam, na dole. Między... no... skałami.

W ciemności rozległ się głos Rincewinda:

– Słuchajcie!

– Co takiego? – spytała Herrena.

– Grozi wam wielkie niebezpieczeństwo! – krzyknął mag. – Musicie zgasić ognisko!

– Nie, nie – odparła Herrena. – Wszystko pomyliłeś. Ty jesteś w niebezpieczeństwie, a ognisko zostaje.

– Jest tu stary, wielki troll...

– Wszyscy wiedzą, że trolle trzymają się z dala od ognia.

Herrena skinęła głową. Kilku jej ludzi sięgnęło po miecze i wyśliznęło się w ciemność.

– To prawda! – przyznał zdesperowany mag. – Ale widzisz, ten konkretny troll nie może.

– Nie może?

Herrena się zawahała. Uderzyła ją groza w tym głosie.

– Tak, bo rozumiesz, rozpaliliście mu ognisko na języku.

I wtedy zakołysała się podłoga.

 Dziadunio wolno budził się z wielowiekowej drzemki. Niewiele brakowało, a wcale by się nie obudził. Kilka dziesięcioleci później nic by się nie wydarzyło. Kiedy troll się starzeje i zaczyna poważnie myśleć o wszechświecie, zwykle znajduje jakieś spokojne miejsce i kładzie się, żeby solidnie pofilozofować. Po pewnym czasie zapomina o swych kończynach. Krystalizuje się, z początku tylko na brzegach, ale w końcu nie pozostaje już nic prócz maleńkiego ognika życia wewnątrz sporego wzgórza z nietypowym układem warstw skalnych.

Dziadunio nie posunął się jeszcze tak daleko. Rozważał właśnie obiecujący kierunek badań sensu prawdy, gdy poczuł gorący, popielny smak w czymś, co po dłuższej chwili namysłu zidentyfikował jako własne usta.

Zezłościł się. Rozkazy przeskakiwały wzdłuż neuronowych ścieżek zanieczyszczonego krzemu. Głęboko w krzemianowym ciele kamień przesuwał się gładko wzdłuż specjalnych szczelin. Padały drzewa, darła się murawa, palce rozmiaru okrętów wyprostowały się i chwyciły ziemię. Dwie wielkie kamienne lawiny wysoko na ścianie urwiska znaczyły miejsce otwarcia oczu podobnych do pary gigantycznych opali.

Rincewind nie widział tego, gdyż miał oczy wyłącznie do dziennego użytku. Dostrzegł jednak, że cały pejzaż kołysze się lekko, po czym wstaje powoli, zasłaniając gwiazdy.

Weszło słońce.

Jednak słoneczny blask się nie pojawił. Słynne słoneczne światło Dysku, jak już wspomniano, w potężnym polu magicznym porusza się bardzo powoli. Teraz chlusnęło na krainy bliskie Krańca i rozpoczęło swą delikatną, cichą bitwę z ustępującymi siłami nocy. Zalewało śpiący krajobraz jak roztopione złoto* – jasne, czyste, a nade wszystko powolne.

Herrena już się nie wahała. Demonstrując niezwykłą przytomność umysłu, przebiegła na brzeg dolnej wargi dziadunia, skoczyła i potoczyła się po zboczu. Najemnicy poszli za jej przykładem; klęli głośno, lądując na rumowisku.

Stary troll uniósł się niczym tęgi mężczyzna ćwiczący pompki.

Nie było to widoczne z miejsca, gdzie leżeli jeńcy. Wiedzieli tylko, że grunt huśta się pod nimi i słychać jakieś hałasy, przeważnie nieprzyjemne.

Weems chwycił Gancię za ramię.

– To trzęsienie ziemi! – zawołał. – Wynośmy się stąd!

– Bez złota się nie ruszę – odparł Gancia.

– Co?

– Złoto, człowieku, złoto! Będziemy bogaci jak Kreozot!

Weems miał może iloczyn inteligencji rzędu temperatury pokojowej, ale potrafił dobrze rozpoznać idiotyzm. Oczy Gancii błyszczały jaśniej od złota, wpatrzone – zdawało się – w lewe ucho Weemsa.

Zrozpaczony Weems obejrzał się na Bagaż. Wieko wciąż zachęcająco odsłaniało zawartość, co było dziwne... Te wstrząsy powinny je przecież zatrzasnąć.

– Nie damy rady go wynieść – stwierdził. – Jest za ciężki.

– Ale damy radę wynieść dosyć! – wrzasnął Gancia. Skoczył do kufra. Podłoga zadygotała i Gancia zniknął.

I na wypadek gdyby Weems uznał to zjawisko za przypadkowe, wieko Bagażu otworzyło się znowu, na moment tylko, i wielki czerwony jęzor oblizał szerokie, białe jak sykomor zęby. Potem wieko opadło z trzaskiem.

---

* Niedokładnie tak, ma się rozumieć. Drzewa nie wybuchały płomieniem, ludzie nie stawali się nagle bardzo bogaci i zupełnie martwi, a morza nie zmieniały się w parę. Lepszym porównaniem byłoby więc powiedzenie „nie jak roztopione złoto".

Ku tym większej zgrozie Weemsa setki nóżek wysunęły się z dolnej powierzchni skrzyni. Kufer powstał spokojnie i ostrożnie przestawiając nóżki, odwrócił się w jego stronę. Zwłaszcza dziurka od klucza wyglądała niezwykle groźnie, jakby chciała powiedzieć: „No spróbuj... zrób mi przyjemność".

Cofnął się i spojrzał błagalnie na Dwukwiata.

– Chyba lepiej, żebyś nas rozwiązał – zaproponował turysta. – Kiedy już cię pozna, szybko się zaprzyjaźni.

Weems nerwowo oblizał wargi i sięgnął po nóż. Bagaż zatrzeszczał. Najemnik rozciął więzy i natychmiast się cofnął.

– Dziękuję – rzucił Dwukwiat.

– Chyba żnowu grzbiet mi żdrętwiał – poskarżył się Cohen, gdy Bethan pomagała mu stanąć na nogach.

– Co zrobimy z tym człowiekiem? – spytała.

– Żabierzemy mu nóż i niech sztąd szpada – odparł Cohen. – Żgoda?

– Oczywiście, proszę pana! Dziękuję panu! – wykrztusił Weems i skoczył do otworu wyjścia.

Przez chwilę widzieli jego sylwetkę wyraźnie zarysowaną na tle jasnego nieba przedświtu. Potem zniknął. Rozległo się stłumione „aaaa!".

Światło dnia niczym fala przypływu ogarniało ziemię. Tu i ówdzie pole magiczne było odrobinę słabsze i języki świtu pędziły przed dniem, pozostawiając za sobą izolowane wysepki nocy, które malały szybko i znikały, a ocean jasności parł wciąż naprzód.

Wyżyna wokół Gór Wirowych stała naprzeciw tej fali niby wielki szary okręt.

Można przebić trolla mieczem, jednak to wymaga praktyki, a nikt nie ma okazji praktykować więcej niż raz. Ludzie Herreny zobaczyli trolle wynurzające się z ciemności niczym aż nadto materialne widma. Klingi pękały, uderzając o krzemowe skorupy, zabrzmiały jeden czy dwa krótkie, urwane wrzaski, a potem nastała cisza – słychać było tylko wołania daleko w lesie, gdy najemnicy usiłowali jak najszybciej oddalić się od żądnej zemsty ziemi.

Rincewind wyczołgał się zza drzewa i rozejrzał czujnie. Był sam, jednak krzaki z tyłu szeleściły głośno – to trolle ścigały bandę.

Podniósł głowę.

Wysoko ponad nim para krystalicznych oczu z nienawiścią szukała wszystkiego co miękkie, chlupiące, a przede wszystkim ciepłe. Rincewind skulił się przerażony, gdy dłoń wielka jak dom uniosła się, zacisnęła w pięść i opadła ku niemu.

Dzień nadszedł w bezgłośnej eksplozji światła. Ogromne, straszliwe cielsko dziadunia na moment stało się falochronem cienia zalewanym prądami blasku. Coś zgrzytnęło krótko.

Nastała cisza.

Minęło kilka minut. Nic się nie działo.

Zaśpiewały ptaki. Trzmiel zabrzęczał nad głazem, który niedawno był pięścią dziadunia, i wylądował na kępce tymianku za kamiennym paznokciem.

Pod głazem ktoś zaczął się wiercić i po chwili, niczym wąż opuszczający swe leże, Rincewind wysunął się niezgrabnie z wąskiej szczeliny pomiędzy pięścią a ziemią.

Położył się na plecach i spoglądał w niebo poza skamieniałym trollem. Dziadunio nie zmienił się wcale, tyle że znieruchomiał, jednak oczy Rincewinda zaczynały już wyczyniać swoje sztuczki. Nocą widział, jak pęknięcia skały zmieniają się w usta i oczy; teraz spoglądał na ścianę urwiska i rysy twarzy, jak pod działaniem czarów stawały się tylko zagłębieniami w skale.

– No, no – powiedział.

Nie pomogło. Wstał, otrzepał się i rozejrzał. Jeśli nie liczyć trzmiela, został tu całkiem sam.

Po krótkich poszukiwaniach znalazł kamień, który oglądany pod pewnym kątem przypominał Beryl.

Był sam, zagubiony i daleko od domu. Był...

Coś zachrzęściło w górze i odłamki skały posypały się na ziemię. Na twarzy dziadunia powstał otwór; na chwilę pokazała się krawędź Bagażu, który próbował odzyskać równowagę. Potem na zewnątrz wysunęła się głowa Dwukwiata.

– Jest tam ktoś na dole?

– Hej! – krzyknął mag. – Żebyś wiedział, jak się cieszę, że cię znowu widzę!

– Nie wiem – odparł Dwukwiat. – A jak?

– Jak co?

– Ojej, ależ stąd wspaniały widok!

Zejście zajęło im pół godziny. Na szczęście dziadunio był mocno kanciasty i miał liczne szczeliny. Nos okazałby się trudną przeszkodą, gdyby nie rozłożysty dąb, który zapuścił korzenie w nozdrzu.

Bagaż nie próbował nawet schodzić. Po prostu skoczył i odbijając się, spadł na sam dół, nie doznając przy tym uszczerbku.

Cohen siedział w cieniu, próbował złapać oddech i czekał, aż dogoni go rozsądek. W zamyśleniu zerkał na Bagaż.

– Konie uciekły – oznajmił Dwukwiat.

– Żnajdziemy je – odparł Cohen, przenikliwym wzrokiem mierząc wyraźnie skrępowany Bagaż.

– Miały w jukach wszystkie nasze zapasy – przypomniał Rincewind.

– W lesie jeszt dość jedżenia.

– Mam w Bagażu trochę pożywnych sucharów – wtrącił Dwukwiat. – Sucharki podróżne. Zawsze przydatne w trudnych chwilach.

– Próbowałem ich – stwierdził mag. – Są paskudne i...

Cohen wstał i skrzywił się, masując sobie krzyż.

– Przepraszam bardżo – rzekł z lodowatym spokojem. – Muszę czoś szprawdzić.

Podszedł do Bagażu i chwycił za wieko. Kufer odsunął się pospiesznie, ale Cohen wysunął stopę i podciął mu połowę nóżek. A gdy Bagaż odwrócił się, by na niego kłapnąć, bohater zacisnął zęby i pchnął mocno. Bagaż wylądował na półokrągłym wieku i huśtał się gniewnie jak rozwścieczony żółw.

– Chwileczkę! To mój Bagaż! – zawołał Dwukwiat. – Dlaczego on napadł na mój Bagaż?

– Chyba wiem – odparła Bethan cicho. – Myślę, że się go boi.

Dwukwiat otworzył ze zdziwienia usta i obejrzał się na Rincewinda. Mag wzruszył ramionami.

– Nie rozumiem – oświadczył. – Ja uciekam przed tym, czego się boję.

Bagaż trzasnął wiekiem, wybił się w powietrze, wylądował i ruszył do ataku. Mosiężnym okuciem trafił Cohena w goleń. Kiedy zawracał, wojownik złapał go mocno i posłał galopem prosto w skalną ścianę.

– Całkiem nieźle – mruknął z podziwem Rincewind.

Bagaż zatoczył się, przystanął na moment i kłapiąc groźnie, ruszył na Cohena. Bohater skoczył i wylądował na nim, obie dłonie i stopy wsuwając w szczelinę między pudłem a wiekiem.

To wyraźnie zaskoczyło Bagaż. Zdziwił się jeszcze bardziej, gdy Cohen nabrał tchu i szarpnął. Napięte muskuły na jego chudych ramionach przypominały worek orzechów kokosowych.

Mocowali się tak przez chwilę – ścięgna przeciw zawiasom. Od czasu do czasu jeden lub drugi trzeszczał cicho.

Bethan szturchnęła Dwukwiata w żebro.

– Zrób coś – poprosiła.

– Tego... – odparł Dwukwiat. – Tak. Chyba już wystarczy. Puść go, jeśli łaska.

Bagaż zgrzytnął z wyrzutem, słysząc głos swego pana. Wieko odskoczyło z taką siłą, że Cohen upadł na plecy. Wstał natychmiast i rzucił się do kufra.

Jego zawartość była teraz widoczna.

Cohen sięgnął do wnętrza.

Bagaż zatrzeszczał lekko, ale wyraźnie rozważył, czy warto się narażać na przedwczesne trafienie do Wielkiego Niebiańskiego Pawlacza. Gdy Rincewind odważył się zerknąć przez palce, Cohen zaglądał do kufra i klął pod nosem.

– Bieliżna?! – krzyknął. – To wszystko? Tylko bieliżna?! – Dygotał z wściekłości.

– Chyba są tam jeszcze sucharki – odezwał się nieśmiało Dwukwiat.

– Ale było złoto! I widziałem, jak zjadł człowieka! – Cohen spojrzał badawczo na Rincewinda.

Mag westchnął.

– Mnie nie pytaj. Nie ja jestem właścicielem.

– Kupiłem go w sklepie – usprawiedliwiał się Dwukwiat. – Powiedziałem, że szukam podróżnego kufra.

– I taki właśnie ci się dostał – mruknął Rincewind.

– Jest wyjątkowo lojalny.

– Tak. Jeśli właśnie lojalności oczekujesz od walizki.

– Chwileczkę... – Cohen usiadł ciężko na kamieniu. – Czy to był jeden z tych szklepów... To znaczy, pewnie nigdy wcześniej go nie zauważyłeś, a kiedy wróciłeś, już go tam nie było?

Dwukwiat się rozpromienił.

– Było dokładnie tak, jak mówisz.

– Szprzedawcza to taki mały pomarszczony człowieczek? Szklep pełen dziwacznych towarów?

– Właśnie! Nie mogłem go potem znaleźć. Myślałem, że pomyliłem ulice. Zamiast wejścia był tylko ślepy mur. Pamiętam, pomyślałem wtedy, że to...

Cohen wzruszył ramionami.

– Jeden ż tych szklepów* – rzekł. – To wszysztko tłumaczy. – Skrzywił się i rozmasował krzyż. – Ten przeklęty koń uciekł ż moją maścią.

Rincewind coś sobie przypomniał. Sięgnął w głąb podartej i bardzo już brudnej szaty. Po chwili tryumfalnie podniósł zieloną butelkę.

– To właśnie to! – ucieszył się Cohen. – Jeszteś wszpaniały. Spojrzał z ukosa na Dwukwiata.

– Pobiłbym go – stwierdził spokojnie. – Nawet gdybyś go nie odwołał, w kończu bym go pokonał.

– To prawda – zgodziła się Bethan.

– Moglibyście żrobić czoś pożytecznego – dodał Cohen. – Żeby nasz uwolnić, ten Bagaż przebił się przeż żąb trolla. Żąb był diamentowy. Poszukajcie okruchów. Mam pewien pomyszł.

Bethan podwinęła rękawy i odkorkowała butelkę, a Rincewind odprowadził Dwukwiata na stronę. Kiedy już ukryli się bezpiecznie za krzakiem, powiedział:

– Zbzikował.

– Mówisz o Cohenie Barbarzyńcy! – Dwukwiat był szczerze wstrząśnięty. – To największy wojownik, jaki...

– Był nim. Wszyscy ci kapłani i ludożerczy zombi zdarzyli się wiele lat temu. Zostały mu tylko wspomnienia i tyle blizn, że mógłbyś grać na nich w kółko i krzyżyk.

– Jest rzeczywiście starszy, niż sobie wyobrażałem – przyznał Dwukwiat. – To prawda. – Podniósł odprysk diamentu.

– Powinniśmy ich tu zostawić, poszukać naszych koni i jechać dalej.

– To brzydki uczynek.

---

* Nikt nie wie dlaczego, ale większość obiektów prawdziwie tajemniczych i magicznych została kupiona w sklepach, które pojawiają się i rozwiewają jak dym po okresie działalności krótszym nawet niż ekipy malarskiej znikającej z zaliczką. Powstało na ten temat wiele teorii, żadna jednak nie tłumaczy wszystkich obserwowanych faktów. Sklepy takie zjawiają się wszędzie we wszechświecie, a ich natychmiastową nieobecność w dowolnym mieście można zwykle wydedukować z tłumów ludzi, którzy wędrują ulicami i podejrzliwie oglądają mury, ściskając zepsute obiekty magiczne z ozdobnymi kartami gwarancyjnymi.

– Nic im nie grozi – zapewnił szczerze Rincewind. – Pomyśl: czujesz się dobrze w towarzystwie człowieka, który gołymi rękami atakuje Bagaż?

– Coś w tym jest – przyznał Dwukwiat.

– Zresztą i tak lepiej sobie poradzą bez nas.

– Jesteś pewien?

– Absolutnie.

Konie znaleźli włóczące się bez celu po gąszczach. Na śniadanie zjedli suszoną koninę i wyruszyli w kierunku, który Rincewind uważał za właściwy. Po kilku minutach z krzaków wynurzył się Bagaż i pobiegł za nimi.

Słońce wzeszło na niebo, ale nie zdołało przyćmić blasku gwiazdy.

– Urosła przez noc – zauważył Dwukwiat. – Chyba ktoś powinien coś zrobić.

– Na przykład co?

Dwukwiat się zastanowił.

– Czy nie można powiedzieć Wielkiemu A'Tuinowi, żeby jej unikał? Wiesz, ominął ją jakoś?

– Próbowano już czegoś takiego – odparł Rincewind. – Magowie starali się dostroić do umysłu Wielkiego A'Tuina.

– Nie udało się?

– Udało się jak najbardziej. Tylko że...

Tylko że czytanie w umyśle tak gigantycznym, jak umysł Wielkiego A'Tuina, wiązało się z pewnym nieprzewidzianym ryzykiem, wyjaśnił. Żeby zyskać wiedzę o żółwiowym systemie myślenia, magowie ćwiczyli na żółwiach zwykłych i na morskich olbrzymach. Choć jednak byli pewni, że umysł Wielkiego A'Tuina będzie ogromny, nie przewidzieli, że będzie tak powolny.

– Grupa magów na zmianę od trzydziestu lat odczytuje jego myśli. Dowiedzieli się tylko, że Wielki A'Tuin na coś czeka – wyjaśnił Rincewind.

– Na co?

– Kto wie?

Przez pewien czas jechali w milczeniu wyboistym szlakiem pomiędzy wapiennymi głazami.

– Powinniśmy wrócić, wiesz? – odezwał się w końcu Dwukwiat.

– Posłuchaj, jutro dotrzemy do Smarlu – przekonywał go Rincewind. – Nic się im nie stanie. Naprawdę nie rozumiem, czemu...

119

Mówił do siebie. Dwukwiat zawrócił i pokłusował z powrotem, demonstrując jeździeckie umiejętności worka ziemniaków. Rincewind spojrzał niżej. Bagaż przyglądał mu się obojętnie.

– Na co się gapisz? – burknął mag. – Może sobie jechać gdzie chce. Co mnie to obchodzi?

Bagaż nie odpowiedział.

– Przecież ja za niego nie odpowiadam – dodał Rincewind. – Wyjaśnijmy to sobie raz na zawsze.

Bagaż milczał, lecz tym razem głośniej.

– No już... idź za nim. Nie masz co się tu plątać.

Bagaż schował nóżki i usadowił się na szlaku.

– Jadę – oznajmił Rincewind. – Nie żartuję.

Zawrócił konia ku nowym horyzontom i obejrzał się. Bagaż siedział nieruchomo.

– Nic ci nie przyjdzie z odwoływania się do lepszych stron mojej natury. Dla mnie możesz sobie tu siedzieć przez cały dzień. A ja i tak pojadę.

Obrzucił Bagaż gniewnym wzrokiem. Bagaż odpowiedział spojrzeniem.

– Wiedziałem, że wrócisz – oświadczył Dwukwiat.

– Nie chcę o tym mówić – odparł Rincewind.

– Może porozmawiamy o czymś innym?

– Tak. Na przykład jak się pozbyć tych sznurów. – Mag szarpnął związanymi przegubami.

– Nie mogę zrozumieć, dlaczego jesteś taki ważny – powiedziała Herrena.

Z mieczem na kolanach usiadła na kamieniu naprzeciwko. Większa część jej oddziału ukrywała się wysoko w skałach, obserwując drogę. Rincewind i Dwukwiat aż nazbyt łatwo wpadli w zasadzkę.

– Weems mi mówił, co wasz kufer zrobił z Gancią – dodała. – Niewielka strata... Mam jednak nadzieję, że rozumie: jeśli tylko zbliży się do nas choćby na milę, osobiście poderżnę wam gardła. Jasne?

Rincewind energicznie pokiwał głową.

– To dobrze. Szukają cię żywego lub martwego i nie obchodzi mnie, w jakim stanie dotrzesz na miejsce. Ale chłopcy chcieliby pewnie podyskutować z tobą o tych trollach. Gdyby słońce nie weszło w samą porę...

Słowa zawisły w powietrzu. Herrena odeszła.

– No i znowu wpadliśmy w kłopoty – westchnął Rincewind. Jeszcze raz szarpnął więzy. Opierał się o kamień. Gdyby tylko sięgnął przegubami... No tak, tylko zdzierał sobie skórę, a jednocześnie skała była zbyt wygładzona, żeby w jakikolwiek sposób wpłynąć na sznur.

– Ale dlaczego my? – zdziwił się Dwukwiat. – To ma coś wspólnego z gwiazdą, prawda?

– Nic nie wiem o żadnej gwieździe. Na uniwersytecie nie byłem na żadnym wykładzie z astrologii!

– Przypuszczam, że wszystko się jakoś ułoży.

Rincewind przyjrzał mu się uważnie. Takie uwagi zawsze go irytowały.

– Naprawdę w to wierzysz? – zapytał. – To znaczy naprawdę?

– No wiesz, jeśli się nad tym zastanowić, wszystko jakoś zawsze dobrze się kończyło.

– Jeżeli całkowite zrujnowanie mojego życia w ciągu roku uważasz za dobre zakończenie, to rzeczywiście. Straciłem już rachubę, ile razy o mało co nie zginąłem...

– Dwadzieścia siedem – podpowiedział Dwukwiat.

– Co?

– Dwadzieścia siedem razy. Przeliczyłem to. Ale ty jakoś nie.

– Co? Nie liczyłem? – Rincewinda ogarnęło znajome uczucie, że rozmowa staje się mętna.

– Nie. Nie zginąłeś. Czy to nie jest trochę podejrzane?

– Nigdy mi nie przeszkadzało, jeśli o to ci chodzi – mruknął Rincewind.

Oczywiście, Dwukwiat miał rację. Zaklęcie ratowało mu życie. Gdyby teraz skoczył w przepaść, z pewnością jakaś przepływająca chmura złagodziłaby upadek.

Kłopot z tą teorią, uznał, polega na tym, że działa jedynie dotąd, dopóki w nią nie uwierzy. Jeśli tylko by pomyślał, że jest nietykalny, będzie trupem.

Czyli, ogólnie biorąc, najlepiej wcale o tym nie myśleć.

Zresztą może się mylił.

Jedyne, czego był pewien, to że zaczyna go boleć głowa. Miał nadzieję, że Zaklęcie znalazło się gdzieś w okolicy bólu i naprawdę cierpi.

Kiedy opuścili jar, Rincewind i Dwukwiat jechali każdy ze swoim strażnikiem. Rincewind siedział niewygodnie przed Weemsem, który skręcił kostkę i był w nie najlepszym nastroju. Dwukwiat jechał z Herreną, co oznaczało – ponieważ był raczej niski – że przynajmniej w uszy jest mu ciepło. Herrena trzymała wyciągnięty nóż, pilnie wypatrując chodzących kufrów. Nie do końca pojmowała, czym właściwie jest Bagaż; miała jednak dość inteligencji, by odgadnąć, że nie pozwoli on na zamordowanie Dwukwiata.

Po dziesięciu minutach spostrzegli go na środku drogi. Zachęcająco otworzył wieko. Był pełen złota.

– Ominiemy go – oznajmiła Herrena.

– Ale...

– To pułapka.

– Ma rację – wtrącił pobladły Weems.

Z ociąganiem ominęli błyszczącą pokusę szerokim łukiem i wrócili na szlak. Weems obejrzał się lękliwie w obawie, że kufer go ściga. To, co zobaczył, okazało się jeszcze gorsze: zniknął.

Daleko przed nimi wysoka trawa przy drodze zakołysała się tajemniczo i znieruchomiała.

Rincewind nie był wybitnym magiem, a tym mniej wojownikiem, był za to ekspertem od tchórzostwa i na pierwszy rzut oka potrafił rozpoznać strach.

– Będzie cię tropił, wiesz? – stwierdził spokojnie.

– Co? – spytał z roztargnieniem Weems. Wciąż obserwował trawę.

– Jest cierpliwy i nigdy nie rezygnuje. Masz do czynienia z myślącą gruszą. Pozwoli ci wierzyć, że o tobie zapomniał... Aż kiedyś w ciemnej ulicy usłyszysz za plecami kroki tych małych nóżek... tup, tup, tup, coraz bliżej... zaczniesz uciekać, a one przyspieszą, tuptupTUP...

– Zamknij się! – wrzasnął Weems.

– Na pewno cię zapamiętał, więc...

– Powiedziałem: zamknij się!

Herrena odwróciła się w siodle i spojrzała groźnie. Weems zmarszczył czoło i pociągnął Rincewinda za ucho, aż znalazło się na wprost jego ust.

– Nie boję się niczego – wyszeptał chrapliwie. – Pluję na te magiczne sztuczki.

– Wszyscy tak mówią, dopóki nie usłyszą kroków – odparł Rincewind i umilkł. Ostrze noża ukłuło go między żebra.

Do końca dnia nic się nie wydarzyło, ale ku satysfakcji Rincewinda – i pogłębiając paranoję Weemsa – Bagaż pokazał się kilkakrotnie. Raz leżał jakby nigdy nic na wystającej skale, kiedy indziej spoczywał w rowie, na wpół ukryty i porośnięty mchem.

Późnym popołudniem stanęli na szczycie wzgórza i ujrzeli przed sobą rozległą dolinę górnego Smarlu – najdłuższej rzeki na Dysku. W tym miejscu miała już pół mili szerokości i wody ciężkie od mułu, który czynił dolinę najżyźniejszym regionem kontynentu. Kilka pasemek mgły unosiło się nad brzegami.

– Tup – powiedział Rincewind.

Poczuł, że Weems podskakuje w siodle.

– Co?

– Odkaszlnąłem tylko – wyjaśnił mag z uśmiechem.

Dobrze sobie przemyślał ten uśmiech. Był to taki rodzaj uśmiechu, jakiego używają ludzie, kiedy patrzą poza twoje lewe ucho i tłumaczą, że szpiegują ich tajni agenci z innej galaktyki. Z pewnością nie należał do uśmiechów dodających ludziom pewności siebie. Prawdopodobnie widziano już straszniejsze uśmiechy, ale jedynie wtedy, gdy uśmiechający się był żółty w czarne pasy, miał długi ogon i włóczył się po dżungli w poszukiwaniu ofiar, do których mógłby się uśmiechnąć.

– Przestań się wykrzywiać – rzuciła Herrena.

Wyjechała na czoło.

Szlak prowadził na sam brzeg, gdzie stał prymitywny pomost i wisiał wielki spiżowy gong.

– Wezwę przewoźnika – oświadczyła Herrena. – Jeśli przeprawimy się tutaj, zetniemy zakręt rzeki. Może nawet dziś wieczorem dotrzemy do miasta.

Weems wyraźnie w to wątpił. Słońce było coraz większe i czerwieńsze, a mgła gęstniała.

– Czy może wolicie spędzić tę noc na tym brzegu?

Weems chwycił młotek i uderzył tak mocno, że gong zakręcił się na kiju i spadł.

Czekali w milczeniu. Potem, z wilgotnym brzękiem, łańcuch uniósł się z wody i napiął na wbitym w pomost żelaznym haku. Po chwili z mgły wynurzył się płaski prom. Zakapturzony przewoźnik napierał na umieszczone pośrodku wielkie koło, wolno ciągnąc łódź w stronę brzegu.

Płaskie dno zazgrzytało o żwir, a zakapturzona postać oparła się o koło i dyszała ciężko.

– Dwóch na raz – wysapała. – Nicz więcej. Po dwóch, ż końmi.

Rincewind przełknął ślinę i postanowił nie patrzeć na Dwukwiata. Turysta prawdopodobnie szczerzy zęby i wykrzywia się jak idiota. Po namyśle zaryzykował spojrzenie z ukosa.

Dwukwiat siedział nieruchomo z rozdziawionymi ustami.

– Ty nie jesteś zwykłym przewoźnikiem – zauważyła Herrena. – Byłam tu kiedyś. Normalnie pracuje tu takie wielkie chłopisko, jakby...

– Dzisiaj ma wolne.

– Niech ci będzie – mruknęła z powątpiewaniem. – W takim razie... A ten z czego się śmieje?

Dwukwiat trząsł się cały, twarz mu poczerwieniała i wydawał z siebie zduszone parsknięcia. Herrena popatrzyła na niego, po czym zwróciła surowy wzrok na przewoźnika.

– Wy dwaj... łapcie go!

Przez chwilę panowała cisza. Wreszcie odezwał się jeden z mężczyzn.

– Kogo? Przewoźnika?

– Tak.

– Dlaczego?

Herrena była zdumiona. Takie rzeczy nie powinny się zdarzać. Powszechnie wiadomo, że kiedy ktoś wrzaśnie coś w stylu „Łapać go!" albo „Straże!", ludzie rzucają się do działania, a nie siedzą i dyskutują.

– Bo ja tak każę – wykrztusiła w końcu.

Dwaj najbliżsi zakapturzonego przybysza mężczyźni spojrzeli na siebie, wzruszyli ramionami, zeskoczyli z koni i chwycili go za ręce. Przewoźnik był od nich o połowę niższy.

– W ten sposób? – zapytał jeden z nich.

Dwukwiat z trudem chwytał oddech.

– A teraz zobaczmy, co ma pod tym płaszczem.

– Nie jestem pewien, czy... – zaczął drugi.

Nie dokończył, ponieważ kanciasty łokieć niczym tłok trafił go w żołądek. Jego towarzysz z niedowierzaniem popatrzył w dół i drugim łokciem dostał w nerki.

Cohen, klnąc głośno, usiłował wyplątać spod płaszcza swój miecz. Równocześnie niezdarnie podskakiwał bokiem w stronę Herreny. Rincewind stęknął, zacisnął zęby i z całej siły machnął głową do tyłu. Weems wrzasnął i Rincewind stoczył się w bok, ciężko wylądował w błocie, poderwał się błyskawicznie i rozejrzał za jakąś kryjówką.

Z okrzykiem tryumfu Cohen uwolnił miecz i zakręcił nim nad głową, poważnie raniąc najemnika, który podkradał się do walczących od tyłu.

Herrena zepchnęła Dwukwiata z siodła i sięgnęła po własną broń. Dwukwiat spróbował wstać i wystraszył czyjegoś konia. Koń stanął dęba i zrzucił jeźdźca, którego głowa znalazła się na poziomie dogodnym dla Rincewinda: mógł w nią kopnąć z całej siły. Miał wprawdzie naturę szczura, ale nawet szczury walczą, zapędzone w ślepy zaułek.

Dłoń Weemsa opadła mu na ramię, a pięść rozmiaru średniego kamienia walnęła go w głowę.

Padając, usłyszał słowa Herreny:

– Zabij ich obu. Ja załatwię tego durnego starucha.

– Dobra! – odparł Weems i wyciągając miecz, zbliżył się do Dwukwiata.

Rincewind spostrzegł, że Weems zawahał się nagle. Przez chwilę trwała cisza, a potem nawet Herrena usłyszała chlupot. To Bagaż wyszedł na brzeg. Z kufra wylewała się woda.

Weems patrzył na to ze zgrozą. Upuścił miecz, odwrócił się i zniknął błyskawicznie we mgle. Bagaż przeskoczył Rincewinda i ruszył w pościg.

Herrena zaatakowała Cohena. Bohater odbił pchnięcie i stęknął, gdy coś trzasnęło mu w ramieniu. Zadźwięczały klingi i Herrena musiała odskoczyć, gdyż chytre cięcie z dołu niemal ją rozbroiło.

Rincewind, zataczając się, dotarł do Dwukwiata i szarpnął go za ramię – bez większych efektów.

– Pora stąd ruszać – wymamrotał.

– To wspaniałe! – zawołał Dwukwiat. – Widziałeś, jak on...

– Tak, tak. Chodźmy.

– Ale chciałem... Dobra robota!

Miecz wypadł z dłoni Herreny, zawirował w powietrzu i drżąc, wbił się w ziemię. Z pomrukiem satysfakcji Cohen cofnął klingę, zrobił zeza, jęknął z bólu i znieruchomiał.

Herrena przyglądała mu się zaskoczona. Na próbę zrobiła krok w stronę swego miecza, a kiedy nic się nie stało, chwyciła go, zważyła w dłoni i odwróciła się do Cohena. Tylko pełne cierpienia oczy się poruszały, gdy okrążyła go czujnie.

– Znowu strzeliło mu w krzyżu – szepnął Dwukwiat. – Co możemy zrobić?

– Sprawdzić, czy uda się złapać konie.

– No cóż – rzekła Herrena. – Nie wiem, kim jesteś ani co tu robisz. Nic do ciebie nie mam, ale sam rozumiesz...

Oburącz uniosła miecz.

Coś poruszyło się nagle wśród mgły i zabrzmiał głuchy stuk ciężkiej gałęzi trafiającej w głowę. Przez moment Herrena wydawała się niezwykle zaskoczona, po czym runęła na twarz.

Bethan odrzuciła gałąź i szybko zbadała Cohena. Chwyciła go za ramiona, przycisnęła kolano do krzyża, szarpnęła fachowo i puściła.

Bohater uśmiechnął się błogo i schylił na próbę.

– Przeszło – oznajmił. – Mój grzbiet! Wszysztko przeszło.

Dwukwiat pochylił się do Rincewinda.

– Mój ojciec polecał w takich przypadkach zwisanie na rękach z krawędzi drzwi – rzekł konwersacyjnym tonem.

 Weems sunął ostrożnie w kłębach oparu między sękatymi drzewami. Wilgotna mgła tłumiła dźwięki, był jednak pewien, że przez ostatnie dziesięć minut naprawdę niczego nie było słychać. Odwrócił się bardzo powoli, a następnie pozwolił sobie na głębokie, serdeczne westchnienie. Cofnął się pod osłonę krzaków.

Coś stuknęło go bardzo delikatnie pod kolanami. Coś kanciastego.

Zerknął w dół. Odniósł wrażenie, że jest tam więcej stóp, niż być powinno.

Rozległo się krótkie, suche trzaśnięcie.

Ognisko było maleńkim jasnym punktem wśród mroku. Księżyc jeszcze się nie pojawił, lecz gwiazda błyszczała złowróżbnie na horyzoncie.

– Teraz jest okrągła – zauważyła Bethan. – Wygląda jak małe słońce. Poza tym robi się coraz goręcej.

– Nie rożumiem tylko – stęknął Cohen, któremu dziewczyna masowała plecy – jak oni wasz żłapali, szkoro nicz nie szłyszeliśmy. W ogóle nicz byśmy nie wiedzieli, gdyby twój Bagaż nie zaczął podszkakiwać.

– I piszczeć – dodała Bethan.

Spojrzeli na nią.

– W każdym razie wyglądał, jakby piszczał – wyjaśniła. – Uważam, że jest bardzo słodki.

Cztery pary oczu zwróciły się w stronę Bagażu, który przysiadł w pobliżu ognia. Teraz wstał i demonstracyjnie skrył się w mroku.

– Łatwo go wykarmić – rzekł Cohen.

– Trudno zgubić – dodał Rincewind.

– Jest lojalny – wtrącił Dwukwiat.

– Przesztronny – uzupełnił Cohen.

– Ale nie nazwałbym go słodkim – zakończył Rincewind.

– Pewnie go nie żechczesz szprzedać? – zapytał Cohen.

Dwukwiat pokręcił głową.

– On by chyba nie zrozumiał.

– Nie, chyba nie – zgodził się Cohen. Usiadł i przygryzł wargę. – Rożumiesz, szukam preżentu dla Bethan. Posztanowiliśmy się pobrać.

– Uznaliśmy, że wy pierwsi powinniście się o tym dowiedzieć. – Bethan spłonęła rumieńcem.

Rincewind nie pochwycił wzroku Dwukwiata.

– Wiecie, to bardzo... tego...

– Jak tylko znajdziemy miasto, a w nim jakiegoś kapłana. Chcę to załatwić jak należy – dodała Bethan.

– To bardzo ważne – oświadczył z powagą Dwukwiat. – Gdyby świat w większym stopniu przestrzegał zasad moralności, nie zderzalibyśmy się teraz z gwiazdami.

Rozważali to przez chwilę. Wreszcie Dwukwiat zawołał wesoło:

– Trzeba to uczcić! Mam suchary i wodę. Zostało jeszcze to suszone mięso?

– A niech tam – westchnął Rincewind.

Skinął na Cohena i odeszli razem na bok. Z przystrzyżoną brodą i w ciemną noc starzec mógłby uchodzić za siedemdziesięciolatka.

– To poważna sprawa? – zapytał mag. – Naprawdę chcesz się z nią ożenić?

– Jaszne. Masz czoś przeciw temu?

– Nie, skąd... Oczywiście, że nie, ale... rozumiesz, ona ma siedemnaście lat, a ty... ty... jak by to powiedzieć, ty jesteś już w podeszłym wieku.

– Żnaczy, pora mi się usztatkować?

Rincewind z trudem dobierał słowa.

– Jesteś od niej o siedemdziesiąt lat starszy, Cohenie. Czy masz pewność...

– Wiesz, byłem już kiedyś żonaty. Mam dobrą pamięć – oświadczył bohater z wyrzutem.

– Nie, widzisz, rzecz w tym, że... fizycznie, rozumiesz, chodzi o, no, różnicę wieku i w ogóle... to kwestia zdrowia, prawda, i...

– Aha – mruknął Cohen. – Rożumiem. Wysziłek. Nie żasztanawiałem się nad tą kwesztią.

– Na pewno nie – rzekł Rincewind. – Ale w końcu tego się można spodziewać.

– Dałeś mi do myślenia, trudno żaprzeczyć.

– Mam nadzieję, że niczego nie popsułem.

– Nie, nie – zapewnił Cohen. – Nie przepraszaj. Szłusznie żwróciłeś mi uwagę.

Obejrzał się na Bethan, która mu pomachała, po czym spojrzał na gwiazdę świecącą poprzez mgłę.

– Niebeżpieczne czaszy – stwierdził w końcu.

– To fakt.

– Kto wie, czo przyniesie jutro?

– Nie ja.

Cohen poklepał Rincewinda po ramieniu.

– Bywa, że trzeba żaryżykować. Nie obraź się, ale chyba mimo wszysztko żałatwimy ten ślub. A potem... – Zerknął na Bethan i westchnął. – Potem miejmy nadzieję, że nie żabraknie jej sił.

Następnego dnia koło południa wjechali do niewielkiego miasteczka otoczonego wałami. Wokół rozciągały się pola porośnięte jeszcze bujną zielenią. Wszystko na drodze toczyło się na ogół w przeciwnym kierunku. Mijali obładowane wozy. Obok drogi biegły stada bydła. Starsze damy maszerowały skrajem, niosąc na plecach cały swój dobytek.

– Zaraza? – spytał Rincewind mężczyznę pchającego wózek pełen dzieci.

Pokręcił głową.

– To gwiazda, przyjacielu. Nie zauważyliście jej na niebie?

– Trudno nie zauważyć.

– Podobno zderzy się z nami w Noc Strzeżenia Wiedźm. Morza się zagotują, krainy Dysku pękną, królowie runą w proch, a miasta będą niczym jeziora szkła. Uciekam w góry.

– Czy to pomoże? – powątpiewał Rincewind.

– Nie, ale stamtąd będzie lepszy widok.

Rincewind wrócił do towarzyszy.

– Wszystkich martwi ta gwiazda – oznajmił. – Chyba mało kto pozostał jeszcze w mieście. Uciekają w góry.

– Nie chciałabym nikogo straszyć – wtrąciła Bethan. – Ale czy zwróciliście uwagę na fakt, że jest dziwnie gorąco jak na tę porę roku?

– To samo pomyślałem wczoraj wieczorem – zgodził się Dwukwiat. – Że jest bardzo ciepło.

– Podejrzewam, że będzie jeszcze cieplej – oświadczył Cohen. – Jedźmy do miaszta.

Sunęli pustymi ulicami, ścigani echem stuku kopyt. Cohen przyglądał się szyldom kupców, wreszcie ściągnął wodze.

– Tego właśnie szukałem – oświadczył. – Żnajdźcie jakąś świątynię ż kapłanem. Wkrótcze do wasz dołączę.

– Jubiler? – zdziwił się Rincewind.

– To nieszpodzianka.

– Przydałaby mi się nowa suknia – przypomniała Bethan.

– Ukradnę ci jakąś.

W mieście czaiło się coś niepokojącego. I coś bardzo dziwnego. Na każdych prawie drzwiach ktoś wymalował czerwoną gwiazdę.

– To niesamowite – zauważyła Bethan. – Zupełnie jakby chcieli ją tu ściągnąć.

– Albo odepchnąć – dodał Dwukwiat.

– Nie uda się. Jest za duża – oświadczył Rincewind. Wszyscy spojrzeli na niego. – To chyba logiczne, prawda? – zakończył niepewnie.

– Nie – stwierdziła Bethan.

– Gwiazdy to małe światełka na niebie – oświadczył Dwukwiat. – Kiedyś jedna spadła niedaleko mojego mieszkania: biała i wielka jak dom. Żarzyła się całe tygodnie, zanim wystygła.

– Ta gwiazda jest inna – obwieścił głos. – Wielki A'Tuin wspiął się na plażę wszechświata. Nad ogromnym oceanem przestrzeni.

– Skąd wiesz? – zdziwił się turysta.

– Skąd wiem co? – Rincewind nie zrozumiał.

– To, co właśnie powiedziałeś. O plażach i oceanach.

– Nic nie mówiłem!

– Oczywiście, że mówiłeś, głupcze! – krzyknęła Bethan. – Widzieliśmy, jak poruszasz wargami w górę i w dół, i w ogóle!

Rincewind przymknął oczy. We wnętrzu swego umysłu wyczuł, jak Zaklęcie odbiega w głąb, kryje się za sumieniem i mruczy do siebie.

– Dobrze, dobrze – powiedział. – O co te krzyki? Ja... ja nie wiem, skąd wiem. Po prostu wiem.

– Wolałabym, żebyś nam wytłumaczył.

Skręcili za róg.

We wszystkich miastach Dysku wokół Morza Okrągłego istnieje obszar wydzielony specjalnie dla bogów, których Dysk posiada wystarczająco dużo. Miejsca te są zwykle zatłoczone i niezbyt atrakcyjne z architektonicznego punktu widzenia. Oczywiście najstarsi bogowie mają wielkie i wspaniałe świątynie; problem w tym, że bogowie późniejsi i młodsi zażądali równouprawnienia. A ponieważ żaden nie pomyślał nawet o zamieszkaniu poza świętą dzielnicą, wkrótce powstało tam mnóstwo szop, przybudówek, przerobionych strychów, podpiwniczeń, ekskluzywnych kawalerek, eklezjastycznych wypełnień i transtemporalnych pokojów na godziny. Zwykle spalano tam równocześnie trzysta różnych typów kadzidła, a hałas sięgał progu bólu, kiedy kapłani przekrzykiwali się wzajemnie, by zdobyć odpowiednią liczbę wiernych do modlitwy.

Na tej ulicy jednak panowała szczególnie nieprzyjemnego rodzaju martwa cisza, jaka się zdarza, gdy setki przerażonych ludzi stoją w całkowitym bezruchu.

Mężczyzna na skraju tłumu obejrzał się i widząc przybyszów, zmarszczył brwi. Na czole miał namalowaną czerwoną gwiazdę.

– Co... – zaczął Rincewind i urwał, gdyż jego głos wydawał się o wiele za mocny. – Co się dzieje?

– Jesteście obcy? – spytał mężczyzna.

– Właściwie znamy się całkiem... – Dwukwiat umilkł.

Bethan wskazała ulicę.

Na każdej świątyni wymalowano gwiazdę. Szczególnie wielką namazał ktoś na kamiennym oku przed świątynią Ślepego Io, przywódcy bogów.

– Brrr! – Rincewind się otrząsnął. – Io będzie wściekły, kiedy to zobaczy. Drodzy przyjaciele, nie powinniśmy się kręcić w tej okolicy.

Tłum otaczał prymitywną platformę wzniesioną pośrodku szerokiej ulicy. Od frontu zdobił ją wielki proporzec.

– Słyszałam, że Ślepy Io widzi wszystko i wszędzie – szepnęła Bethan. – Dlaczego nie...

– Cicho! – warknął jakiś mężczyzna. – Dahoney mówi.

Na platformę wstąpił wysoki chudzielec, z włosami żółtymi jak mlecz. Zamiast oklasków rozległo się jakby zbiorowe westchnienie. Zaczął mówić.

Rincewind słuchał w narastającej grozie. Gdzie są bogowie? – pytał ten człowiek. Odeszli. Może nigdy nie istnieli. Czy ktoś ich naprawdę widział? A teraz przysłano gwiazdę...

Spokojnie, wyraźnie kontynuował przemowę. Używał takich słów jak „wymieść", „oczyścić" i „wyplenić". Głos wwiercał się w umysł niczym rozgrzany do czerwoności miecz. Gdzie są magowie? Gdzie magia? Czy rzeczywiście kiedyś działała, czy to był tylko sen?

Rincewind zaczął się poważnie obawiać, że bogowie mogą to usłyszeć i tak się rozzłościć, że wywrą zemstę na wszystkich, którzy w tym czasie byli w tym miejscu.

Ale miał wrażenie, że nawet gniew bogów byłby lepszy niż dźwięk tego głosu. Gwiazda się zbliża, zdawał się mówić, a straszliwy ogień można odwrócić jedynie przez... przez... Rincewind nie był pewien, ale miał wizję mieczy, proporców i wojowników o pustych oczach. Ten głos nie wierzył w bogów, co szczególnie Rincewindowi nie przeszkadzało, ale nie wierzył też w ludzi.

Ktoś szturchnął Rincewinda w bok – wysoki mężczyzna w opończy, który stał po lewej stronie. Mag obejrzał się... i spojrzał na wyszczerzoną czaszkę pod czarnym kapturem.

Magowie, jak koty, potrafią zobaczyć Śmierć.

W porównaniu z dźwiękiem tego głosu Śmierć sprawiał niemal miłe wrażenie. Opierał się o ścianę, a obok stała jego kosa. Skinął Rincewindowi.

– Przyszedłeś się napawać? – szepnął pytająco mag.

Śmierć wzruszył ramionami.

PRZYSZEDŁEM ZOBACZYĆ PRZYSZŁOŚĆ, wyjaśnił.

– To ma być przyszłość?

JAKAŚ PRZYSZŁOŚĆ.

– Potworna.

SKŁONNY JESTEM PRZYZNAĆ CI RACJĘ.

– Myślałem, że ci się spodoba!

NIE TAKA. ŚMIERĆ WOJOWNIKA ALBO STARCA CZY DZIECKA... TĘ ROZUMIEM. UŚMIERZAM BÓL I ŁAGODZĘ CIERPIENIE. ALE TEJ ŚMIERCI UMYSŁÓW NIE ROZUMIEM.

– Z kim rozmawiasz? – zapytał Dwukwiat.

Kilku ludzi z tłumu spoglądało na Rincewinda podejrzliwie.

– Z nikim. Możemy iść? Głowa mnie rozbolała.

Ludzie zaczęli mruczeć coś między sobą i wskazywać ich palcami. Rincewind złapał towarzyszy i szybkim krokiem skręcił za róg.

– Wsiadajmy na konie i jedźmy stąd – powiedział. – Mam niedobre przeczucie, że...

Czyjaś dłoń opadła mu na ramię. Obejrzał się. Para zamglonych szarych oczu, umieszczonych w łysej głowie na szczycie muskularnego ciała, spoglądała z uwagą na jego lewe ucho. Mężczyzna miał wymalowaną na czole gwiazdę.

– Wyglądasz na maga – oświadczył. Ton jego głosu sugerował, że to rzecz bardzo nierozsądna, a możliwe, że wręcz fatalna.

– Kto? Ja? Nie, jestem... urzędnikiem. Tak, urzędnikiem. Właśnie – zapewnił Rincewind. Zaśmiał się piskliwie.

Mężczyzna zamilkł. Bezgłośnie poruszał ustami, jakby nasłuchiwał wewnętrznego głosu. Zbliżyło się kilku innych ludzi z gwiazdami. Lewe ucho Rincewinda wzbudzało powszechną uwagę.

– Myślę, że jesteś magiem – oświadczył mężczyzna.

– Posłuchaj – rzekł Rincewind. – Gdybym był magiem, tobym potrafił czarować. Zgadza się? Zamieniłbym cię w coś, a że tego nie zrobiłem, to nie jestem magiem.

– Pozabijaliśmy wszystkich naszych magów – oznajmił któryś z ludzi z gwiazdami. – Niektórzy uciekli, ale wielu zabiliśmy. Machali rękami i nic się nie działo.

Rincewind patrzył na niego niespokojnie.

– Myślimy, że ty również jesteś magiem – powtórzył mężczyzna, coraz mocniej ściskając ramię ofiary. – Masz skrzynię na nogach i wyglądasz jak mag.

Rincewind uświadomił sobie, że ich trójka i Bagaż oddalili się jakoś od koni i teraz stoją w zacieśniającym się kręgu poważnych ludzi o poszarzałych twarzach.

Bethan zbladła. Nawet Dwukwiat wyglądał na lekko zaniepokojonego, choć jego umiejętność dostrzegania zagrożeń była w przybliżeniu tej klasy, co Rincewinda umiejętność latania.

Rincewind nabrał tchu. Wzniósł ramiona w klasycznej pozie, której nauczył się przed laty.

– Cofnijcie się! – rozkazał. – Albo wszystkich was porazi magia.

– Magia wygasła – odparł mężczyzna. – Gwiazda ją zabrała. Wszyscy fałszywi magowie wypowiadali te śmieszne słowa i nic się nie działo. Potem ze zgrozą spoglądali na swoje ręce i bardzo niewielu miało dość rozsądku, by uciekać.

– Nie żartuję! – zagroził Rincewind.

On mnie zabije, myślał. To koniec. Nie potrafię już nawet oszukiwać. Ani czarować, ani oszukiwać... Jestem zwyczajnym...

Zaklęcie drgnęło w jego umyśle. Poczuł, jak lodowata ciecz sączy mu się do mózgu. Był gotów. Zimny dreszcz popłynął wzdłuż ramienia.

Ręka uniosła się sama; poczuł, że usta otwierają się i zamykają, że jego język się porusza, a głos, który nie należał do niego, głos stary i oschły, wymawia sylaby wzlatujące w powietrze niczym obłoczki pary.

Z palców strzeliły oktarynowe ognie. Oplotły przerażonego mężczyznę, aż zniknął w lodowatej, pryskającej iskrami chmurze, która wzniosła się ponad ulicą, zawisła na chwilę i eksplodowała w nicość.

Nie został nawet kłąb tłustego dymu.

Rincewind ze zgrozą przyglądał się własnej dłoni.

Dwukwiat i Bethan chwycili go pod ręce i powlekli przez oszołomiony tłum, aż dotarli na otwartą przestrzeń ulicy. Tu nastąpił bolesny moment, gdy każde z nich próbowało uciekać w inną stronę. W końcu jednak pobiegli razem. Stopy Rincewinda prawie nie dotykały bruku.

– Magia – mruczał podniecony, pijany mocą. – Rzuciłem czar...

– To prawda – przyznał uspokajająco Dwukwiat.

– Chcecie, żebym rzucił zaklęcie? – spytał Rincewind. Wskazał palcem przebiegającego psa. – Uuiiii! – zawołał.

Zwierzę spojrzało na niego z wyrzutem.

– Najlepiej spraw, żeby twoje stopy biegły szybciej – rzuciła ponuro Bethan.

– Jasne! – bełkotał Rincewind. – Hej, stopy! Biegnijcie szybciej! Patrzcie, naprawdę to robią!

– Mają więcej rozumu od ciebie – stwierdziła dziewczyna. – Którędy teraz?

Dwukwiat się rozejrzał. Gdzieś z bliska dobiegały gniewne krzyki. Rincewind wyrwał się i niepewnie podreptał w najbliższą uliczkę.

– Potrafię! – wrzasnął dziko. – Uważajcie tylko...

– Jest w szoku – wyjaśnił Dwukwiat.

– Dlaczego?

– Nigdy jeszcze nie rzucił zaklęcia.

– Przecież jest magiem!

– To skomplikowana historia – wysapał Dwukwiat, biegnąc za Rincewindem. – Zresztą nie jestem pewien, czy to on. To nie był jego głos. No chodź, stary.

Rincewind skierował na niego dzikie, niewidzące spojrzenie.

– Zamienię cię w krzak róży – oznajmił.

– Tak, tak, świetny pomysł. Tylko już chodźmy. – Dwukwiat delikatnie pociągnął go za rękę.

Z kilku uliczek naraz rozległ się tupot nóg i nagle otoczyło ich kilkunastu ludzi z gwiazdami. Bethan chwyciła bezwładne ramię Rincewinda i wymierzyła je groźnie.

– Nie zbliżać się! – krzyknęła.

– Tak jest! – zawołał Dwukwiat. – Mamy tu maga i nie zawahamy się go użyć!

– Nie żartuję! – Bethan obróciła Rincewinda za ramię niby kabestan.

– Zgadza się! Jesteśmy ciężko uzbrojeni! – krzyczał dalej Dwukwiat i nagle zapytał: – Co?

– Pytałam, gdzie jest Bagaż – syknęła Bethan zza pleców Rincewinda.

Turysta rozejrzał się niepewnie. Bagaż zniknął.

Na szczęście Rincewind wywarł pożądany efekt. Kiedy wskazywał ręką dookoła, napastnicy traktowali ją jak obrotową kosę i próbowali chować się jeden za drugiego.

– Gdzie on się podział?

– Skąd mam wiedzieć?

– To przecież twój Bagaż.

– Często nie mam pojęcia, gdzie jest mój Bagaż. Na tym polegają uroki życia turysty. Zresztą on często gdzieś odchodzi. Chyba lepiej nie pytać dlaczego.

Napastnicy zaczynali sobie uświadamiać, że tak naprawdę nic się nie dzieje i że Rincewind nie jest w stanie ciskać nawet wyzwisk, a co dopiero czarodziejskiego ognia. Zbliżali się, uważnie obserwując jego dłonie.

Dwukwiat i Bethan się wycofywali. Turysta spojrzał za siebie.

– Bethan...

– Co? – Dziewczyna nie spuszczała wzroku ze zbliżających się prześladowców.

– To ślepy zaułek.

– Jesteś pewien?

– Chyba umiem rozpoznać mur z cegły – odparł z wyrzutem Dwukwiat.

– Więc to już koniec – westchnęła dziewczyna.
– Może spróbuję im wyjaśnić...?
– Nie.
– Aha.
– Chyba nie są z tych, co słuchają wyjaśnień.

Dwukwiat przyjrzał się napastnikom. Był zwykle – jak już wspominano – niewrażliwy na osobiste zagrożenie. Wbrew doświadczeniom całej ludzkości wierzył, że jeśli tylko ludzie porozmawiają ze sobą, wypiją piwo, pokażą obrazki wnuków, może wybiorą się na jakiś pokaz albo co, wszystko da się jakoś rozwiązać. Wierzył też, że ludzie są zasadniczo dobrzy, tylko miewają złe dni. To, co się zbliżało ulicą, wywarło na nim takie wrażenie jak widok goryla w fabryce szkła.

Z tyłu zabrzmiał najlżejszy z dźwięków, właściwie nie tyle dźwięk, ile zmiana faktury powietrza.

Prześladowcy rozdziawili usta, zawrócili i zniknęli w głębi ulicy.

– Co...? – zdziwiła się Bethan, podtrzymując nieprzytomnego w tej chwili Rincewinda.

Dwukwiat patrzył w przeciwną stronę, na wielką oszkloną wystawę pełną niezwykłych naczyń i na drzwi przesłonięte sznurami paciorków. Teraz, gdy litery wpełzły już na miejsca, wielki szyld nad nimi głosił:

**Skillet, Wang, Yrxle!yt, Bunglestiff, Cwmlad i Patel**
**Rok założenia: różnie**
**DOSTAWCY**

Jubiler wolno obracał na małym kowadle złotą płytkę, mocując ostatni z dziwnie oszlifowanych diamentów.

– Z zęba trolla, powiadasz? – mruknął i mrużąc oczy, przyjrzał się swemu dziełu.

– Tak – potwierdził Cohen. – I, jak obieczałem, możesz zatrzymać szobie resztę.

Przesuwał palcami po tacy złotych pierścieni.

– Hojna zapłata – przyznał jubiler.

Był krasnoludem i znał się na interesach. Westchnął.

– Nie masz osztatnio wielu żleczeń? – domyślił się Cohen.

Przez małe okienko zerknął na grupę ludzi o pustych oczach zebraną po drugiej stronie ulicy.

– Owszem, czasy są ciężkie.

– Czo to ża typy ż wymalowanymi gwiażdami?

Krasnolud jubiler nie podniósł głowy.

– Szaleńcy – odparł krótko. – Twierdzą, że nie powinienem pracować, bo zbliża się gwiazda. Ja im na to, że gwiazdy nigdy mnie nie skrzywdziły, czego nie mogę powiedzieć o ludziach.

Cohen w zadumie pokiwał głową. Sześciu ludzi odłączyło się od grupy i ruszyło do pracowni. Nieśli rozmaitą broń i wyglądali na zdeterminowanych.

– Dziwne – mruknął Cohen.

– Jestem, jak pewnie zauważyłeś, z pochodzenia krasnoludem – rzekł jubiler. – Podobno to jedna z ras magicznych. A tamci wierzą, że gwiazda nie zniszczy Dysku, jeśli odwrócimy się od magii. Pewnie chcą mnie trochę poturbować. Takie życie.

Podniósł szczypcami swe najnowsze dzieło.

– To najdziwniejsza rzecz, jaką w życiu zrobiłem – wyznał. – Widzę jednak, że bardzo praktyczna. Mówiłeś, że jak się nazywa?

– Pro-teży – odparł Cohen.

Przyjrzał się podkowiastym kształtom na swej pomarszczonej dłoni, po czym otworzył usta i kilka razy stęknął boleśnie.

Drzwi odskoczyły. Napastnicy wkroczyli do wnętrza i zajęli pozycje pod ścianami. Byli spoceni i niepewni, lecz ich przywódca wzgardliwie odepchnął Cohena na bok i chwycił krasnoluda za koszulę.

– Ostrzegaliśmy cię już, karzełku – oznajmił. – Wyjdziesz stąd sam albo cię wyniosą. Nam wszystko jedno. A teraz jesteśmy już naprawdę...

Cohen postukał go w ramię. Intruz obejrzał się gniewnie.

– Czego chcesz, dziadku? – burknął.

Cohen odczekał, aż intruz dokładnie go sobie obejrzy, a potem się uśmiechnął. Był to powolny, leniwy uśmiech, odsłaniający jakieś trzysta karatów ustnej biżuterii. Zdawało się, że rozświetla cały pokój.

– Policzę do trzech – rzekł bohater przyjaźnie. – Raz. Dwa. – Kościste kolano uniosło się i z satysfakcjonującym, głuchym chrzęstem trafiło intruza w krocze. Cohen wykonał półobrót, by z całą siłą wbić jeszcze łokieć w nerki przywódcy fanatyków, który runął na podłogę, zwinięty wokół swego osobistego uniwersum cierpienia. – Trzy – dodał Cohen, zwracając się do kłębka na podłodze.

Słyszał kiedyś o uczciwej walce i już dawno zdecydował, że nie chce mieć z nią nic wspólnego.

Spojrzał na pozostałych fanatyków i błysnął swym niesamowitym uśmiechem.

Powinni rzucić się na niego razem. Zamiast tego jeden z nich, uspokojony świadomością, że w przeciwieństwie do Cohena ma ciężki miecz, przesuwał się bokiem w jego stronę.

– Nie, nie... – Cohen zamachał rękami. – Daj spokój, chłopcze. Nie w ten sposób.

Napastnik przyglądał mu się z ukosa.

– Nie w jaki sposób? – spytał podejrzliwie.

– Nigdy w życiu nie miałeś w ręku miecza?

Tamten zerknął na kolegów, szukając wsparcia.

– Nie za często – przyznał. – I na krótko.

Groźnie machnął orężem.

Cohen wzruszył ramionami.

– Może tu zginę, ale chciałbym zginąć z ręki człowieka, który trzyma miecz jak wojownik – oświadczył.

Fanatyk przyjrzał się swoim dłoniom.

– Całkiem dobry chwyt – stwierdził z powątpiewaniem.

– Posłuchaj mnie, chłopcze... Znam się trochę na tych sprawach. Podejdź tu... Pozwolisz? Dobrze. Lewa ręka tutaj, na głowicy, prawa tutaj... dobrze, właśnie tutaj... a klinga prosto w twoją nogę.

Napastnik wrzasnął i sięgnął do stopy, gdy Cohen podciął mu zdrową nogę i zwrócił się do wszystkich zebranych.

– Robi się wesoło – oświadczył. – Dlaczego się na mnie nie rzucicie?

– Właśnie – zabrzmiał jakiś głos u jego pasa. Jubiler wydobył skądś bardzo wielki i brudny topór, który do wszystkich okropności wojny dodawał jeszcze groźbę tężca.

Czterej intruzi ocenili stosunek sił i wycofali się do drzwi.

– I zetrzyjcie te głupie gwiazdy! – krzyknął za nimi Cohen. – Możecie uprzedzić wszystkich, że Cohen Barbarzyńca bardzo się zdenerwuje, jeśli gdzieś jeszcze takie zobaczy!

Drzwi trzasnęły. Ułamek sekundy później uderzył w nie topór, odbił się i odciął pasek skóry z sandała Cohena.

– Przepraszam – powiedział krasnolud. – Należał do mojego dziadka. Ja używam go tylko do rąbania drew.

Cohen na próbę zacisnął szczęki. Protezy pasowały całkiem nieźle.

– Na twoim miejscu i tak bym się stąd wynosił – rzekł.

Krasnolud jednak krzątał się już po pracowni, wrzucając do skórzanej sakwy cenne metale i klejnoty. Do jednej kieszeni włożył zawiniątko z narzędziami, do drugiej paczkę gotowej biżuterii. Potem wsunął ręce w uchwyty tygla, stęknął i z wysiłkiem zarzucił go sobie na plecy.

– No dobrze – mruknął. – Jestem gotów.

– Idziesz ze mną?

– Przynajmniej do bram miasta, jeśli nie masz nic przeciw temu. Chyba mi się nie dziwisz?

– Nie. Ale lepiej zostaw topór.

Wyszli w blask popołudnia, na opustoszałą ulicę. Kiedy Cohen otwierał usta, maleńkie tęcze rozświetlały cienie.

– Muszę jeszcze zabrać stąd kilku przyjaciół – powiedział i dodał: – Mam nadzieję, że nic im się nie stało. Jak ci na imię?

– Lackjaw.

– Czy mogę tu gdzieś... – szepnął namiętnie Cohen, rozkoszując się każdym słowem. – Czy gdzieś tu dostanę stek?

– Ludzie z gwiazdami pozamykali wszystkie gospody. Twierdzą, że nie należy jeść i pić, kiedy...

– Wiem, wiem – przerwał Cohen. – Chyba zaczynam rozumieć, na czym to polega. Czy oni niczego nie pochwalają?

Lackjaw się zamyślił.

– Palenie różnych rzeczy – stwierdził w końcu. – W tym są dobrzy. Książki i w ogóle... Palili tu wielkie ogniska.

Cohen był wstrząśnięty.

– Ogniska z książek?

– Tak. Okropne, prawda?

– Prawda.

Sama myśl o tym była przerażająca. Ktoś, kto całe życie spędził pod gołym niebem, umie docenić solidną, grubą księgę. Jeśli człowiek ostrożnie wyrywa kartki, taka księga wystarczy na cały rok rozpalania ognisk. Nieraz garść wilgotnych gałązek i sucha książka mogą ocalić życie. A kiedy ma się ochotę zapalić i nie można znaleźć fajki, książka jest niezastąpiona.

Cohen zdawał sobie sprawę, że ludzie zapisywali w książkach różne rzeczy. Zawsze uważał to za lekkomyślne marnotrawstwo papieru.

– Jeśli twoi przyjaciele ich spotkali, to boję się, że mogli wpaść w kłopoty – powiedział smutnie Lackjaw, gdy maszerowali ulicą.

Skręcili za róg i na środku drogi zobaczyli ognisko. Kilku ludzi wrzucało do niego książki wynoszone z pobliskiego domu; miał wyważone drzwi i cały był pomazany gwiazdami.

Wieści o Cohenie nie dotarły jeszcze do wszystkich. Palacze książek nie zwrócili uwagi, gdy podszedł bliżej i oparł się o ścianę. Pozwijane strzępy płonącego papieru wzlatywały w gorącym powietrzu i płynęły ponad dachami.

– Co robicie? – zapytał.

Jakaś kobieta z gwiazdą odrzuciła włosy dłonią poczerniałą od sadzy i spojrzała z uwagą na lewe ucho Cohena.

– Oczyszczamy Dysk z niegodziwości – odpowiedziała.

Dwaj mężczyźni wyszli z budynku i też popatrzyli na Cohena, a przynajmniej na jego lewe ucho.

Barbarzyńca wyjął kobiecie z ręki ciężką księgę. Okładkę zdobiły przedziwne czerwone i czarne kamienie układające się w coś, co – nie wątpił – było słowem. Pokazał ją Lackjawowi.

– Necrotelecomnicon – wyjaśnił krasnolud. – Magowie z niej korzystają. Mówi chyba, jak kontaktować się z umarłymi.

– Ech, ci magowie... – mruknął Cohen.

Pomacał kartkę – była cienka i całkiem miękka. Odrażające, jakby organiczne pismo wcale mu nie przeszkadzało. Tak, taka książka może być prawdziwym przyjacielem...

– Chciałeś czegoś? – zapytał jakiegoś człowieka, który chwycił go za ramię.

– Trzeba spalić wszystkie księgi magiczne – rzekł fanatyk, choć odrobinę niepewnie, gdyż coś w uśmiechu Cohena budziło w nim niewygodne uczucie powracającego rozsądku.

– Dlaczego?

– Zostało nam to objawione.

Uśmiech Cohena stał się szeroki jak cały świat... ale o wiele groźniejszy.

– Myślę, że powinniśmy już iść – wtrącił nerwowo Lackjaw.

Grupa ludzi z gwiazdami wyszła z bocznej ulicy za nimi.

– A ja myślę, że chętnie bym kogoś zabił – odparł Cohen.

– Gwiazda nakazuje nam oczyścić Dysk – oznajmił fanatyk i cofnął się o krok.

– Gwiazdy nie mówią.

– Jeśli mnie zabijesz, tysiące staną w moje miejsce. – Mężczyzna opierał się już plecami o ścianę.

– Istotnie – przyznał Cohen tonem perswazji. – Ale przecież nie w tym rzecz. Rzecz w tym, że ty będziesz już martwy.

Fanatykowi grdyka zaczęła podskakiwać jak jo-jo. Zerknął na miecz barbarzyńcy.

– Coś w tym jest, rzeczywiście – przyznał. – Wiesz co... A może zgasimy ten ogień?

– Niezły pomysł – pochwalił Cohen.

Lackjaw szarpnął go za pas. Grupa ludzi z gwiazdami biegła już w ich kierunku. Było ich dużo, z czego wielu uzbrojonych, i wyglądało na to, że sytuacja staje się odrobinę bardziej poważna.

Cohen wyzywająco machnął kilka razy mieczem, odwrócił się i rzucił do ucieczki. Nawet Lackjaw z wielkim trudem dotrzymywał mu kroku.

– Zabawne... – wysapał, gdy skręcili w kolejny zaułek. – Myślałem... przez chwilę... że chcesz tam zostać... i walczyć.

– Wybij... to sobie... z głowy... młotem.

Kiedy wypadli na ulicę, Cohen stanął za węgłem, dobył miecza i pochylając głowę, nasłuchiwał zbliżających się kroków. Nagle ciął szeroko na wysokości brzucha. Rozległ się nieprzyjemny odgłos i kilka wrzasków, on jednak był już daleko. Biegł dziwacznie, powłócząc nogami, by nie urazić odcisków.

Z Lackjawem tupiącym ciężko tuż przy jego boku skręcił do gospody wymalowanej w jaskrawoczerwone gwiazdy. Z lekkim tylko jękiem bólu wskoczył na stół i pobiegł po blacie... a równocześnie, z niemal perfekcyjnym wyczuciem choreografii, Lackjaw, nie schylając się, wbiegł pod stół... Cohen zeskoczył po drugiej stronie, kopnął nogą drzwi do kuchni i obaj znaleźli się na małej, wąskiej uliczce.

Pokonali jeszcze kilka zakrętów i wpadli w jakąś bramę. Cohen przylgnął do ściany i rzęził, aż przestał widzieć przed oczyma niebieskie i fioletowe plamki.

– I co? – wysapał. – Co znalazłeś?

– Hm... solniczkę – odparł Lackjaw.

– Tylko tyle?

– Przecież musiałem biec pod stołem. Tobie też nie poszło lepiej.

Cohen zerknął niechętnie na nieduży melon, który nabił na miecz podczas ucieczki.

– Czasy są ciężkie – mruknął i wgryzł się w grubą skórę.

– Chcesz trochę soli? – zaproponował krasnolud.

Cohen milczał. Stał nieruchomo z melonem w ręku i otwartymi ustami.

Lackjaw się obejrzał. Podwórze, gdzie trafili, było całkiem puste, jeśli nie liczyć starego kufra, pozostawionego przez kogoś pod murem.

Cohen, nie patrząc, oddał melona krasnoludowi i wszedł w plamę słonecznego światła. Lackjaw obserwował, jak skrada się bezszelestnie do kufra – a przynajmniej tak bezszelestnie, jak to możliwe, gdy ma się stawy skrzypiące niby okręt pod pełnymi żaglami. Barbarzyńca raz czy dwa ukłuł kufer mieczem, jednak ostrożnie, jakby się bał, że wybuchnie.

– To zwykły kufer! – zawołał krasnolud. – Co w nim takiego dziwnego?

Cohen nie odpowiadał. Przykucnął z trudem i obejrzał zamek.

– Co jest w środku? – spytał Lackjaw.

– Wolałbyś nie wiedzieć – stwierdził Cohen. – Pomóż mi wstać.

– Ale ten kufer...

– Ten kufer... – Cohen się zawahał. – Ten kufer jest... – Niezdecydowanie zamachał rękami.

– Podłużny?

– Deliryczny – szepnął tajemniczo Cohen.

– Deliryczny?

– Tak.

– Aha – mruknął krasnolud.

Przez chwilę przyglądali się kufrowi w milczeniu.

– Cohenie?

– Słucham?

– Co to znaczy deliryczny?

– Deliryczny to... – Cohen urwał i zirytowany spojrzał w dół. – Daj mu kopniaka, to sam się przekonasz.

Okuty stalą krasnoludzki but Lackjawa huknął o boczną ściankę kufra. Cohen drgnął. Poza tym nic się nie stało.

– Rozumiem – stwierdził krasnolud. – Deliryczny znaczy drewniany.

– Nie... On... powinien jakoś zareagować.

– Rozumiem – powtórzył Lackjaw, choć wcale nie rozumiał i zaczynał żałować, że Cohen wyszedł na ten upał. – Powinien uciec, tak?

– Tak. Albo odgryźć ci nogę.

– Aha... – Krasnolud łagodnie ujął Cohena za rękę. – Popatrz, jak tu, w cieniu, jest przyjemnie. Może usiądziesz i odpoczniesz...

Cohen go odepchnął.

– Patrzy na ścianę – stwierdził. – Dlatego nie zwraca na nas uwagi. Gapi się w ścianę.

– Tak, masz rację. Oczywiście, patrzy w ścianę tymi małymi oczkami...

– Nie bądź durniem, przecież on nie ma oczu!

– Przepraszam, przepraszam bardzo! – zawołał pospiesznie Lackjaw. – Patrzy bez oczu na ścianę. Przepraszam.

– Myślę, że coś go martwi.

– Tak, to chyba to. Wolałby pewnie, żebyśmy już sobie poszli i zostawili go w spokoju.

– Wygląda na zdziwiony – dodał Cohen.

– Tak, rzeczywiście jest zdziwiony – przyznał krasnolud.

Barbarzyńca przyjrzał mu się uważnie.

– Skąd ty to możesz wiedzieć? – warknął.

Lackjaw pomyślał, że zamienili się rolami i nie jest to uczciwa zamiana. Spoglądał to na Cohena, to na kufer, na przemian zamykając i otwierając usta.

– A ty skąd? – zapytał w końcu.

Ale Cohen i tak nie słuchał. Usiadł przed kufrem – zakładając, że strona z dziurką od klucza była przodem – i przyglądał mu się uważnie. Lackjaw się cofnął. To zabawne, stwierdził nagle jego umysł. Ta piekielna skrzynia na mnie patrzy.

– No dobrze – odezwał się Cohen. – Wiem, że ty i ja nie zawsze się zgadzamy, ale obaj staramy się znaleźć coś, na czym nam zależy. Tak?

– Ja... – zaczął Lackjaw i uświadomił sobie, że wojownik przemawia do kufra.

– Powiedz mi zatem, gdzie oni są.

Lackjaw patrzył ze zgrozą, jak Bagaż wysuwa nóżki, rozpędza się i całą siłą uderza o ścianę. Dookoła poleciały okruchy cegieł i zaprawy.

Cohen zajrzał przez otwór. Po drugiej stronie był niewielki brudny składzik. Bagaż stał pośrodku i biło od niego niebotyczne zdumienie.

– Sklep – oznajmił Dwukwiat.

– Jest tu kto? – zapytała Bethan.

– Aaargh – dodał Rincewind.

– Powinniśmy chyba gdzieś go posadzić i przynieść wody – powiedział Dwukwiat. – O ile ją tu znajdziemy.

– Jest wszystko inne – zauważyła Bethan.

Wszędzie stały półki, a na półkach leżało pełno wszystkiego. Przedmioty, które się nie mieściły, wisiały w pękach u ciemnego, mrocznego sufitu; pudła i worki zawalały podłogę.

Z zewnątrz nie dobiegały żadne dźwięki. Bethan obejrzała się i odkryła dlaczego.

– Nigdy nie widziałem tylu towarów – stwierdził Dwukwiat.

– Jednej rzeczy na pewno tu brakuje – oświadczyła stanowczo Bethan.

– Skąd wiesz?

– Wystarczy popatrzeć. Skończyły się wyjścia.

Turysta się odwrócił. W miejscu, gdzie niedawno było okno i drzwi, teraz znajdowały się półki zapchane pakunkami. Wyglądały, jakby wisiały tam już od bardzo dawna.

Dwukwiat usadził Rincewinda na chwiejnym stołku obok lady i podejrzliwie zbadał półki. Stały tam pudełka gwoździ i szczotek do włosów. Leżały bloki wyblakłego ze starości mydła. Były piramidki słoiczków soli kąpielowych, do których ktoś przyczepił dość smutną i ironiczną notkę stwierdzającą, wbrew wszelkim faktom, że są Doskonałe na Prezent. Było też całkiem sporo kurzu.

Bethan sprawdzała półki po drugiej stronie. Roześmiała się nagle.

– Patrzcie tylko! – zawołała.

Dwukwiat popatrzył. Dziewczyna trzymała w ręku... to była mała chatka góralska, cała wysadzana muszelkami; na dachu (który otwierał się, oczywiście, żeby w domku można było chować papierosy, a przy tym grał prostą melodyjkę) ktoś wypalił napis „Szczególna Pamiątka".

– Widziałeś kiedy coś podobnego? – zapytała.

Dwukwiat pokręcił głową. Otworzył usta.

– Dobrze się czujesz? – zaniepokoiła się Bethan.

– To chyba najpiękniejsza rzecz, jaką w życiu widziałem – szepnął.

W górze rozległo się donośne brzęczenie. Podnieśli głowy.

Duża czarna kula zjechała z ciemności pod sufitem. Na jej powierzchni zapalały się i gasły czerwone światełka. Zakręciła się i popatrzyła na nich dużym szklanym okiem. To oko było groźne. Zdawało się dobitnie sugerować, że patrzy na coś obrzydliwego.

– Dzień dobry... – powiedział niepewnie Dwukwiat.

Nad ladą pojawiła się twarz. Wyglądała na zagniewaną.

– Mam nadzieję, że zamierzaliście za to zapłacić – powiedziała twarz niegrzecznie. Z jej wyrazu można było wywnioskować, że oczekuje potwierdzenia, choć i tak nie uwierzy.

– Za to? – zdziwiła się Bethan. – Nie kupiłabym tego, choćbyś dorzucił czapkę rubinów i...

– Ja to kupię – przerwał jej Dwukwiat. – Ile? – Sięgnął do kieszeni i nagle zmartwiał. – Nie mam przy sobie pieniędzy. Są w moim Bagażu, ale...

Usłyszeli pogardliwe parsknięcie. Twarz zniknęła zza lady i pojawiła się znowu za gablotą ze szczoteczkami do zębów. Należała do bardzo małego człowieczka, niemal całkiem skrytego za zielonym fartuchem. Był wyraźnie zagniewany.

– Bez pieniędzy? Przychodzicie do mojego sklepu...

– To niechcący – zapewnił szybko Dwukwiat. – Nie zauważyliśmy, że tu jest.

– Bo go nie było – rzekła stanowczo Bethan. – To magiczny sklep, prawda?

Sprzedawca się zawahał.

– Tak – przyznał w końcu niechętnie. – Troszeczkę.

– Troszeczkę? – powtórzyła Bethan. – Troszeczkę magiczny?

– Może troszeczkę bardziej – ustąpił, cofając się o krok. – No dobrze – zgodził się wreszcie. Bethan patrzyła na niego groźnie. – Całkiem magiczny. Tych przeklętych drzwi najpierw nie było, a potem znowu zniknęły, tak?

– Tak. I nie podoba się nam to coś pod sufitem.

Sprzedawca podniósł głowę i zmarszczył brwi. Zniknął za zasłoną z paciorków w niskim przejściu, na wpół ukrytym wśród towarów. Rozległy się brzęki i warkot, a czarna kula zniknęła w mroku. Zastąpiły ją kolejno: pęk ziół, ruchoma reklama czegoś, o czym Dwukwiat nigdy nie słyszał, a co było najwyraźniej jakimś napojem dobrym do picia przed snem, zbroja i wypchany krokodyl z pyskiem wyrażającym cierpienie i zaskoczenie.

Sprzedawca pojawił się znowu.

– Lepiej? – zapytał.

– Znaczna poprawa – zgodził się niezbyt pewnie Dwukwiat. – Najbardziej podobały mi się zioła.

W tym właśnie momencie Rincewind jęknął. Zaraz miał się obudzić.

 Istnieją trzy teorie wyjaśniające fenomen wędrujących sklepów, znanych powszechnie jako *tabernae vagantes*.

Pierwsza postuluje, iż wiele tysięcy lat temu wyewoluowała gdzieś w multiwersum rasa obdarzona jednym talentem: kupować tanio i sprzedawać drogo. W krótkim czasie władała potężnym galaktycznym imperium, czy też Emporium, jak wolała je nazywać. Przedstawiciele tej rasy znaleźli sposób, by same sklepy wyposażyć w unikalne jednostki napędowe, zdolne przebić mroczne mury kosmosu i otworzyć nowe rynki zbytu. I długo po śmierci cieplnej tego konkretnego wszechświata i unicestwieniu wszystkich planet Emporium, po ostatniej wyprzedaży, wędrujące sklepy wciąż prowadziły interes, przegryzając się przez karty czasoprzestrzeni niczym mól książkowy przez trzytomową powieść.

Druga teoria głosi, że sklepy te są dziełem sprzyjającego Losu i mają za zadanie dostarczać właściwych przedmiotów we właściwej chwili.

Według trzeciej teorii sklepy te są metodą ominięcia rozmaitych zakazów handlu w niedzielę.

Wszystkie trzy, choć tak różne, mają dwie wspólne cechy. Wyjaśniają obserwowane fakty i są całkowicie, absolutnie błędne.

Rincewind powoli otworzył oczy i przez chwilę leżał nieruchomo, zapatrzony w wypchanego gada. Nie jest to najprzyjemniejszy widok, kiedy człowiek nagle budzi się z koszmarnych snów.

Magia! Więc takie to uczucie! Nic dziwnego, że magowie nie przepadali za seksem.

Rincewind wiedział, na czym polegają orgazmy. W swoim czasie sam kilka przeżył, niekiedy nawet w towarzystwie. Żadne jednak z tych doznań nie mogło się równać z tym gorącym uczuciem, kiedy każdy nerw w jego ciele płonął błękitnobiałym ogniem, a pierwotna magia spływała z palców. To wypełniało człowieka... wtedy ślizgał się po wzbierającej, łamiącej się fali żywiołowej potęgi. Nic dziwnego, że magowie szukali mocy...

I tak dalej. Ale wszystko to robiło Zaklęcie, nie Rincewind. Naprawdę zaczynał go już nienawidzić. Był pewien, że gdyby nie wystraszyło wszystkich innych zaklęć, których usiłował się nauczyć, mógłby sam z siebie zostać całkiem przyzwoitym magiem.

Gdzieś w jego udręczonej duszy błysnął jadowitym kłem wąż buntu. Dobrze, pomyślał Rincewind. Przy pierwszej okazji wracasz do Octavo.

Usiadł.

– Gdzie ja jestem? – zapytał, chwytając się za głowę, by powstrzymać ją od eksplozji.

– W sklepie – odparł posępnie Dwukwiat.

– Mam nadzieję, że sprzedają tu noże... Bo mam ochotę odciąć sobie głowę.

Coś w twarzach pochylonej nad nim pary otrzeźwiło go natychmiast.

– To był żart – wyjaśnił. – W każdym razie w większej części. Dlaczego jesteśmy w sklepie?

– Nie możemy wyjść – oświadczyła Bethan.

– Drzwi zniknęły – dodał Dwukwiat.

Rincewind wstał trochę niepewnie.

– Aha – mruknął. – Jeden z tych sklepów...

– Owszem – potwierdził kwaśnym tonem sprzedawca. – Tak, jest magiczny, tak, przemieszcza się, i nie, nie powiem wam dlaczego...

– Czy mógłbym dostać trochę wody? – poprosił Rincewind.

Sprzedawca był oburzony.

– Najpierw nie mają pieniędzy, a teraz jeszcze chcą wody – burknął. – To już naprawdę...

Bethan prychnęła gniewnie i podeszła do małego człowieczka. Próbował się cofnąć, ale było już za późno.

Podniosła go za paski fartucha i spojrzała mu prosto w oczy. Choć miała podartą suknię i rozczochrane włosy, w tej chwili była symbolem każdej kobiety, która przyłapała mężczyznę, jak oszukuje na wadze życia.

– Czas to pieniądz – syknęła. – Daję ci trzydzieści sekund, żebyś mu przyniósł wody. Uważam, że to dobry interes. Nie sądzisz?

– Niesamowite – szepnął Dwukwiat. – Kiedy się rozzłości, jest naprawdę straszna.

– Owszem – mruknął bez entuzjazmu Rincewind.

– Dobrze, dobrze – zgodził się wyraźnie przestraszony sprzedawca.

– A potem możesz nas wypuścić – dodała Bethan.

– Bardzo chętnie. I tak jest zamknięte. Zrobiłem sobie krótki przystanek, żeby zorientować się w okolicy, a wy wpadliście do środka. Poczłapał za paciorkową zasłonę i wrócił z kubkiem wody.

– Specjalnie oczyszczona – rzekł, unikając wzroku Bethan.

Rincewind przyjrzał się cieczy. Prawdopodobnie była czysta, zanim wlano ją do kubka. Teraz picie byłoby masowym mordem tysięcy niewinnych mikrobów.

Ostrożnie odstawił kubek.

– A teraz się porządnie wykąpię – oznajmiła Bethan i pomaszerowała za zasłonę.

Zniechęcony sprzedawca machnął ręką i spojrzał błagalnie na Rincewinda i Dwukwiata.

– Nie jest zła – zapewnił go turysta. – Ma wyjść za naszego przyjaciela.

– On o tym wie?

– Interesy nie idą najlepiej w kosmicznych sklepach? – spytał możliwie uprzejmie Rincewind.

Człowieczek zadrżał.

– Nie uwierzysz – rzekł. – Wiecie, człowiek nie ma dużych wymagań. Sprzeda się coś tu czy tam... można żyć. Ale ci ludzie, których tu macie ostatnio, ci z gwiazdami wymalowanymi na gębach... Ledwie zdążę otworzyć sklep, a już mi grożą, że go spalą. Za bardzo magiczny, powiadają. Więc mówię: Pewnie, że magiczny. Jakże inaczej?

– Czyli jest ich tu wielu? – zapytał Rincewind.

– Na całym Dysku, przyjacielu. I nie pytaj dlaczego.

– Wierzą, że gwiazda zderzy się z Dyskiem.

– A zderzy się?

– Wielu tak sądzi.

– To szkoda. Załatwiłem tu parę niezłych interesów. Za bardzo magiczny! A co złego jest w magii, chciałbym wiedzieć.

– Co zrobisz? – zaciekawił się Dwukwiat.

– Przeniosę się do innego wszechświata. Jest ich dosyć – wyjaśnił swobodnym tonem sprzedawca. – Ale dzięki, że mnie uprzedziliście o tej gwieździe. Może was gdzieś podrzucić?

Zaklęcie wymierzyło umysłowi Rincewinda solidnego kopniaka.

– No... nie – powiedział. – Chyba lepiej zostaniemy na miejscu. Żeby wszystko zobaczyć, rozumiesz...

– Czyli nie przejmujecie się tą gwiazdą?

– Gwiazda oznacza życie, nie śmierć – oznajmił Rincewind.

– Jak to możliwe?

– Jak co możliwe?

– Znowu to zrobiłeś! – Dwukwiat oskarżycielsko wyciągnął palec. – Mówisz różne rzeczy, a potem nic nie pamiętasz.

– Powiedziałem tylko, że chyba lepiej tu zostać.

– Powiedziałeś, że gwiazda oznacza życie, nie śmierć. A głos miałeś szeleszczący i głuchy. Prawda? – zwrócił się Dwukwiat do sprzedawcy.

– Prawda – potwierdził niski człowieczek. – I chyba trochę zezował.

– W takim razie to Zaklęcie – uznał Rincewind. – Próbuje nade mną zapanować. Wie, co ma się zdarzyć, i chyba chce wrócić do Ankh--Morpork. Ja też chcę – dodał stanowczo. – Możesz nas tam przenieść?

– Czy chodzi o to wielkie miasto nad Ankh? Brudne i cuchnące jak ściek?

– Ma długą i chwalebną historię – odparł sucho Rincewind, urażony w swej dumie obywatelskiej.

– Mnie opisywałeś je całkiem inaczej – przypomniał Dwukwiat. – Mówiłeś, że to jedyne miasto, które powstało już dekadenckie.

Rincewind zakłopotał się nieco.

– Ale to mój dom, rozumiecie?

– Nie, właściwie nie – wyznał sprzedawca. – Moim zdaniem dom jest tam, gdzie powiesisz kapelusz.

– Nie, nie! – zawołał Dwukwiat, zawsze chętny do szerzenia wiedzy. – Miejsce, gdzie wieszasz kapelusz, nazywa się wieszak. Dom to...

– Przygotuję wszystko do podróży – przerwał nerwowo sprzedawca, gdyż właśnie wróciła Bethan. Wyminął ją z daleka.

Dwukwiat ruszył za nim.

Za zasłoną był pokój z niedużym łóżkiem, niezbyt czystym piecykiem i stolikiem na trzech nogach. Sprzedawca zrobił coś przy blacie, zabrzmiał odgłos jakby korka niechętnie wyskakującego z butelki i nagle pokój od ściany do ściany mieścił w sobie wszechświat.

– Nie bój się – rzucił sprzedawca.

Gwiazdy przelatywały obok nich.

– Nie boję się – odparł Dwukwiat. Oczy mu błyszczały.

– Aha – mruknął lekko zirytowany sprzedawca. – Zresztą to tylko obraz generowany przez sklep. Nie jest prawdziwy.

– I możesz polecieć, gdzie zechcesz?

– Ależ nie! – Sprzedawca był zaszokowany. – Jest mnóstwo wbudowanych zabezpieczeń. Przecież nie warto podróżować tam, gdzie mają za niską nadwyżkę dochodu na głowę mieszkańca. I musi się znaleźć odpowiedni mur. O, jest! To wasz wszechświat. Bardzo przytulny, muszę przyznać. Właściwie wszechświatek...

 Oto wieczna noc kosmosu. Miriady gwiazd lśnią niby diamentowy pył czy też – jak powiedzieliby niektórzy – niby ogromne kule wodoru płonące w wielkiej odległości. No ale wiadomo, są ludzie, którzy powiedzieliby wszystko.

Jakiś cień przesłania to odległe migotanie, cień czarniejszy niż sama przestrzeń.

Z tego miejsca wydaje się również o wiele większy, ponieważ przestrzeń właściwie nie jest duża. Jest miejscem, gdzie można być dużym. Planety, owszem, są duże, ale takie być powinny, a osiągnąć odpowiedni rozmiar to żadna sztuka.

Ale ten kształt, przesłaniający gwiazdy niczym odcisk stopy Boga, nie jest planetą. To żółw mający tysiące mil od pokrytego kraterami łba po pancerny ogon.

A Wielki A'Tuin jest ogromny.

Olbrzymie płetwy wznoszą się i opadają z godnością, skręcając przestrzeń w niezwykłe wiry. Świat Dysku płynie po niebie niczym królewska barka. Lecz nawet Wielki A'Tuin męczy się, gdy opuszcza swobodne głębiny przestrzeni i walczy z prądami słonecznych mielizn. Magia słabnie na płyciznach światła. Jeszcze kilka dni w tych warunkach, a ciśnienie realności unicestwi Świat Dysku.

Wielki A'Tuin wie o tym, ale Wielki A'Tuin pamięta, że kiedyś już to robił – wiele tysięcy lat temu.

Oczy astrożółwia, lśniące czerwienią w blasku karłowatej gwiazdy, spoglądają nie na nią, ale na skrawek przestrzeni w pobliżu...

– No tak, ale gdzie właściwie jesteśmy? – zainteresował się Dwukwiat.

Pochylony nad blatem sprzedawca wzruszył ramionami.

– Nie sądzę, żebyśmy byli gdziekolwiek. Moim zdaniem to współstyczna bezprzestrzeń. Ale mogę się mylić. Na ogół sklep sam wie, co ma robić.

– To znaczy, że ty nie wiesz?

– Czasem słyszę coś tu czy tam. – Sprzedawca wysiąkał nos. – Bywa, że ląduję na świecie, gdzie rozumieją te sprawy. – Zwrócił na Dwukwiata swe małe smutne oczka. – Masz dobrą twarz, przybyszu. Dlatego ci powiem.

– Co mi powiesz?

– To ciężkie życie tak pilnować sklepu. Nigdy spokoju, nigdy nie zamykać, wiecznie w podróży...

– Więc dlaczego nie przestaniesz?

– W tym rzecz, przybyszu... Nie mogę. Jestem zaklęty... właśnie w ten sposób. To straszne. – Wysiąkał nos po raz drugi.

– Zaklęty, żeby prowadzić sklep?

– Przez wieczność, przybyszu, całą wieczność. I nigdy nie zamykać! Przez setki lat! To przez tego czarodzieja, rozumiesz. Popełniłem straszliwy czyn.

– W sklepie? – zdziwił się Dwukwiat.

– Tak. Nie pamiętam już, czego chciał, ale kiedy o to poprosił, ja... ja tylko tak cmoknąłem... jakbym gwizdał, tylko na odwrót. – Zademonstrował.

Dwukwiat spoważniał. Jednak w głębi serca był dobrym człowiekiem, zawsze gotowym wybaczyć.

– Rozumiem – stwierdził wolno. – Ale mimo to...

– To nie wszystko!

– Och.

– Powiedziałem mu, że nie ma na to popytu.

– Kiedy już cmoknąłeś?

– Tak. Prawdopodobnie jeszcze się uśmiechnąłem.

– Ojej... Nie nazwałeś go chyba „szefuniem"?

– Ja... to całkiem możliwe.

– Hm.

– Jest jeszcze coś.

– Nie!

– Tak. Powiedziałem, że mogę mu to zamówić i żeby przyszedł jutro.

– To chyba nie takie złe – stwierdził Dwukwiat.

W całym multiwersum Dwukwiat był jedynym człowiekiem, który pozwalał sklepom zamawiać dla siebie towary. Bez protestu płacił spore sumy, by wynagrodzić sprzedawcy kłopot związany z trzymaniem na składzie konkretnego artykułu czasem nawet przez kilka godzin.

– Następnego dnia zamykaliśmy wcześniej – wyznał sprzedawca.

– No tak...

– Tak. Słyszałem, jak szarpie za klamkę. Na drzwiach wisiała tabliczka, wiesz, z takim mniej więcej napisem: „Zamknięte, choćby nawet nekromanta chciał kupić papierosy". W każdym razie usłyszałem go i zaśmiałem się.

– Zaśmiałeś?

– Właśnie. O tak: hnufhnufhnufblat.

– To chyba nie był najlepszy pomysł. – Dwukwiat pokręcił głową.

– Wiem, wiem. Mój ojciec zawsze mawiał: „Nie mieszaj się w sprawy czarodziejów...". W każdym razie słyszałem, jak czarodziej krzyczy, że nigdy już nie zamknę, potem było mnóstwo słów, których nie zrozumiałem, A wtedy sklep... sklep... ożył..

– I od tego czasu ciągle wędrujesz?

– Tak. Myślę, że pewnego dnia spotkam czarodzieja i może będę miał na składzie to, czego szuka. Póki to nie nastąpi, muszę przelatywać z miejsca na miejsce...

– To straszne – westchnął Dwukwiat.

Sprzedawca wytarł nos fartuchem.

– Dziękuję – szepnął.

– Ale mimo to nie powinien rzucać na ciebie takiej klątwy – dodał turysta.

– Aha. No tak. – Sprzedawca obciągnął fartuch i dzielnie spróbował wziąć się w garść. – Cóż, rozczulanie się nad sobą nie doprowadzi was do Ankh-Morpork, prawda?

– To zabawne – stwierdził Dwukwiat. – Ale swój Bagaż kupiłem w takim samym sklepie. Innym, oczywiście.

– Zgadza się, jest nas kilku. – Sprzedawca pochylił się nad stolikiem. – Ten czarodziej był chyba człowiekiem bardzo niecierpliwym.

– Bez końca wędrować po wszechświecie...

– W samej rzeczy. Chociaż nie należy zapominać, że oszczędza się na stawkach czynszowych.

– Stawkach czynszowych?

– Tak. To... – Sprzedawca zmarszczył czoło. – Nie pamiętam dokładnie, to już tak dawno. Stawki, stawki...

– Coś, o co się gra w karty?

– Tak, to chyba to.

– Zaczekaj... On się nad czymś zastanawia – rzekł Cohen. Lackjaw ze znużeniem podniósł głowę. Przyjemnie było tak sobie siedzieć w cieniu. Właśnie doszedł do wniosku, że próbując uciec z miasta szaleńców, zwrócił na siebie uwagę jednego wariata. Nie wiedział, czy pożyje dość długo, by tego żałować.

Miał szczerą nadzieję, że tak.

– O tak, wyraźnie się zastanawia – mruknął z goryczą. – Każdy by zauważył.

– Chyba ich znalazł.

– To dobrze.

– Łap się go.

– Oszalałeś?

– Zaufaj mi, znam ten kufer. Zresztą wolisz zostać z tymi gwiaździstymi? Oni chętnie z tobą porozmawiają.

Cohen czujnie zbliżył się do Bagażu, nagle wskoczył na niego i siadł okrakiem na wieku. Bagaż nie zareagował.

– Pospiesz się! – zawołał Cohen. – On chyba zaraz ruszy.

Lackjaw wzruszył ramionami i ostrożnie zajął miejsce za wojownikiem.

– Doprawdy? – spytał. – A w jaki sposób...

Ankh-Morpork!
Perła miast!
Naturalnie, to nieprecyzyjny opis – Ankh-Morpork nie jest okrągłe ani błyszczące. Jednak nawet najgorsi wrogowie przyznają, że jeśli już trzeba Ankh-Morpork z czymś porównać, może to być i kawałek śmiecia pokryty wydzieliną chorego mięczaka.

Istniały miasta większe. Istniały miasta bogatsze. Z całą pewnością istniały miasta piękniejsze. Jednak żadne z nich nie mogło dorównać Ankh-Morpork pod względem zapachu.

Pradawni, którzy wiedzą wszystko o wszystkich wszechświatach i którzy wąchali zapachy Kalkuty, !Xrc-! i słynnego Marsportu, zgadzają się, że nawet te wspaniałe przykłady nosowej poezji są zaledwie limerykami wobec glorii zapachu Ankh-Morpork.

Można mówić o cebuli. Można wspomnieć o czosnku. Można dawać przykład Francji. Proszę bardzo. Ale kto nie czuł zapachu Ankh-Morpork w upalny dzień, ten nie czuł niczego.

Obywatele są z niego dumni. W pogodne dni wystawiają krzesła przed domy i rozkoszują się nim. Wydymają policzki i klepią się w piersi, dyskutując o drobnych, acz wyraźnych jego niuansach. Postawili mu nawet pomnik, by upamiętnić czas, gdy żołnierze wrogiego państwa próbowali ciemną nocą przekraść się przez mury. Dotarli na blanki, gdy – ku ich przerażeniu – przestały działać filtry nosowe. Bogaci kupcy, którzy długie lata spędzają za granicą, sprowadzali stąd specjalnie korkowane i zapieczętowane butelki z powietrzem wywołującym w oczach łzy wzruszenia.

Takie miało działanie.

Tylko jednym sposobem można opisać wrażenie, jakie zapach Ankh-Morpork wywierał na świeżo przybyłym nosie, mianowicie poprzez analogię.

Weźcie tartan. Posypcie go konfetti. I oświetlcie stroboskopową lampą.

A teraz weźcie kameleona.

Połóżcie kameleona na tartanie.

I przyjrzyjcie mu się uważnie.

Widzicie?

To tłumaczy dlaczego – kiedy sklep zmaterializował się w końcu w Ankh-Morpork – Rincewind usiadł sztywno.

– Jesteśmy – powiedział.

Bethan zbladła, a pozbawiony zmysłu powonienia Dwukwiat zapytał:

– Naprawdę? Skąd wiesz?

Było popołudnie. Po drodze kilka razy przebijali się do przestrzeni rzeczywistej, pojawiając się w licznych murach rozmaitych miast. Sprzedawca wyjaśnił, że to pole magiczne Dysku oddziałuje na sklep i wszystko zakłóca.

Miasta te były opuszczone przez większość mieszkańców i pozostawione włóczącym się bandom ludzi obłąkanych na punkcie lewego ucha.

– Skąd oni się wzięli? – zastanawiał się Dwukwiat, kiedy uciekali przed kolejną grupą.

– W każdym normalnym człowieku tkwi szaleniec i próbuje wydostać się na zewnątrz – odparł sprzedawca. – Zawsze w to wierzyłem. Nikt szybciej nie wpada w obłęd niż osoba całkowicie normalna.

– Przecież to nie ma sensu – zauważyła Bethan. – A jeśli nawet ma, mnie się ten sens nie podoba.

Gwiazda była już większa od słońca. Dzisiaj ludzie mieli na próżno oczekiwać nocy. Po przeciwnej stronie horyzontu małe słońce Dysku starało się jak mogło, by zajść normalnie. Jednak zyskało zaledwie tyle, że miasto – nigdy nie oszałamiające urodą – przypominało teraz obraz fanatycznego artysty, który narkotyzował się pastą do butów.

Ale to był dom. Rincewind rozglądał się po pustej ulicy i był niemal szczęśliwy.

W głębi umysłu Zaklęcie wściekało się i złościło, ale nie zwracał na nie uwagi. Może to prawda, że magia słabła w miarę zbliżania się gwiazdy... A może Zaklęcie siedziało mu w głowie tak długo, że zdołał w sobie wytworzyć psychiczną odporność... W każdym razie stwierdził, że potrafi mu się sprzeciwić.

– Jesteśmy w dokach – oznajmił. – Czujecie to morskie powietrze?

– O tak. – Bethan oparła się o ścianę. – Tak...

– To ozon – wyjaśnił Rincewind. – Atmosfera z charakterem.

Odetchnął głęboko.

Dwukwiat obejrzał się na sprzedawcę.

– Mam nadzieję, że znajdziesz swojego czarodzieja – powiedział. – Przykro mi, że nic nie kupiliśmy, ale wszystkie pieniądze mam w Bagażu.

Sprzedawca wcisnął mu coś do ręki.

– Drobny prezencik – wyjaśnił. – Przyda ci się.

Wskoczył z powrotem do sklepu. Zadzwonił dzwonek, zabębniła głucho o drzwi tabliczka z napisem „Przyjdź jutro, a kupisz Pijawki Łyżkonośca, małe paskudy" i cały sklep wtopił się w cegły, jakby nigdy nie istniał. Dwukwiat ostrożnie dotknął muru, nie całkiem dowierzając własnym oczom.

– Co jest w tej torbie? – zapytał Rincewind.

Torba była z grubego szarego papieru i miała sznurkowe uchwyty.

– Jeśli wypuści nóżki, to nie mam ochoty się dowiadywać – oświadczyła Bethan.

Dwukwiat zajrzał do środka, po czym wydobył zawartość.

– To wszystko? – zdziwił się Rincewind. – Mały domek z muszelkami?

– Bardzo pożyteczny – bronił się Dwukwiat. – Można w nim trzymać papierosy.

– A ich właśnie najbardziej potrzebujesz, tak?

– Wolałabym butelkę porządnego mocnego olejku do opalania – stwierdziła Bethan.

– Chodźmy – rzucił Rincewind i ruszył ulicą.

Poszli za nim.

Dwukwiatowi przyszło do głowy, że przydałoby się kilka słów pocieszenia... niedługa i taktowna przemowa, by odpędzić od Bethan złe myśli i trochę poprawić jej humor.

– Nie martw się – powiedział. – Zawsze istnieje szansa, że Cohen jeszcze żyje.

– Och, spodziewam się, że żyje – odparła. Stąpała po kamieniach bruku, jakby do każdego z nich miała osobiste pretensje. – W jego fachu człowiek nie dotrwałby osiemdziesięciu siedmiu lat, gdyby ciągle gdzieś ginął. Ale tutaj go nie ma.

– Mojego Bagażu też nie ma. Oczywiście to nie to samo.

– Myślisz, że gwiazda uderzy w Dysk?

– Nie – odparł stanowczo Dwukwiat.

– Dlaczego nie?

– Bo Rincewind tak nie uważa.

Przyjrzała mu się zdumiona.

– Jak by ci to... – zaczął turysta. – Wiesz, co się robi z wodorostami?

Bethan, wychowana na Równinach Wirowych, znała morze tylko z opowiadań i dawno doszła do wniosku, że wcale jej się nie podoba. Spojrzała pytająco.

– Zjada się je?

– Nie. Wiesza się nad drzwiami, a one wskazują, czy będzie padał deszcz.

Kolejna rzecz, jakiej Bethan już się nauczyła, to że nie należy nawet próbować rozumieć, o czym właściwie Dwukwiat mówi. Można co najwyżej biec obok rozmowy w nadziei, że zdoła się wskoczyć, gdy zwolni na zakręcie.

– Rozumiem – powiedziała.

– Z Rincewindem jest podobnie.

– Jak z wodorostami.

– Tak. Gdyby istniał choćby najmniejszy powód do strachu, on byłby przestraszony. A nie jest. Ta gwiazda to chyba jedyne, co go nie przestraszyło. Jeśli on się nie martwi, to możesz mi wierzyć: nie ma się czym martwić.

– Nie będzie padać? – upewniła się Bethan.

– No nie... W znaczeniu metaforycznym, naturalnie.

Bethan wolała nie pytać, co oznacza „metaforyczne" – w obawie że ma to jakiś związek z wodorostami.

Rincewind się obejrzał.

– Chodźcie – rzucił. – Już niedaleko.

– Dokąd? – zapytał Dwukwiat.

– Do Niewidocznego Uniwersytetu, oczywiście.

– Czy to rozsądne?

– Prawdopodobnie nie, ale pójdę i tak... – Rincewind przerwał. Jego twarz stała się maską cierpienia. Przycisnął dłonie do uszu i jęknął.

– Zaklęcie sprawia kłopoty?

– Taaghh.

– Spróbuj coś nucić.

Rincewind się skrzywił.

– Mam zamiar się go pozbyć – oznajmił chrapliwie. – Wróci do książki, gdzie jest jego miejsce. Chcę odzyskać własną głowę!

– Ale wtedy... – zaczął Dwukwiat.

Wszyscy usłyszeli dalekie śpiewy i tupanie nóg.

– Myślicie, że to ci z gwiazdami? – przestraszyła się Bethan.

Miała rację. Prowadzący marsz wyszli zza rogu o pięćdziesiąt sążni przed nimi. Podążali za wystrzępioną białą chorągwią z ośmioramienną gwiazdą.

– Nie tylko ludzie z gwiazdami – zauważył Dwukwiat. – Tam są ludzie w ogóle.

Tłum ich porwał. W jednej chwili stali na pustej ulicy, w następnej sunęli wraz z ludzką falą, która niosła ich przez miasto.

Światła pochodni migotały lekko w wilgotnych podziemiach uniwersytetu. Przywódcy ośmiu obrządków magicznych maszerowali gęsiego przez korytarze.

– Na dole przynajmniej jest chłodniej – zauważył jeden z nich.

– Ale nas nie powinno tu być.

Trymon, który ich prowadził, szedł w milczeniu. Myślał za to bardzo intensywnie. Myślał o butelce oliwy u paska i ośmiu kluczach niesionych przez magów – kluczach do ośmiu zamków przykuwających Octavo do pulpitu. Myślał, że ci starzy czarnoksiężnicy czują, że magia coraz bardziej wysycha, zajęci są własnymi problemami i w związku z tym może są mniej czujni. Myślał, że za kilka minut Octavo, największy depozyt magii na Dysku, trafi w jego ręce.

Mimo chłodu tuneli Trymon zaczął się pocić.

Dotarli do obitych ołowiem drzwi osadzonych w surowym kamieniu. Trymon wyjął ciężki klucz – solidny, uczciwy, żelazny klucz, niepodobny do tych powyginanych i niepokojących kluczy, które uwolnią Octavo. Wstrzyknął do zamka porcję oliwy, wsunął i przekręcił klucz. Zamek ustąpił z niechętnym zgrzytem.

– Czy podjęliśmy wspólną decyzję? – zapytał Trymon.

Odpowiedziały mu twierdzące pomrukiwania.

Pchnął drzwi.

Owionął ich ciepły podmuch dusznego, jakby oleistego powietrza. Usłyszeli wysokie, nieprzyjemne świergoty. Z każdego nosa, paznokcia i brody strzeliły oktarynowe iskierki.

Magowie pochylili głowy wobec szalejącej w komnacie burzy chaotycznej magii. Weszli do wnętrza. Na wpół uformowane kształty chichotały i przemykały dookoła – to koszmarni mieszkańcy Piekielnych Wymiarów bezustannie obmacywali granicę między światami tym, co uchodziło za palce tylko dlatego, że znajdowało się na końcach ramion. Szukali niestrzeżonego wejścia do kręgu ciepłego blasku, który uważali za wszechświat ładu i porządku.

Nawet w tym czasie, trudnym dla wszelkich magicznych zjawisk, nawet w komnacie zaprojektowanej tak, by tłumiła magiczne wibracje, Octavo wciąż trzeszczało od mocy.

Pochodnie nie były potrzebne. Octavo wypełniało komnatę przyćmionym, posępnym blaskiem, który nie był właściwie światłem, ale jego przeciwieństwem. To nie ciemność jest, jak niektórzy uważają, przeciwieństwem światła; ona jest tylko jego brakiem. Z księgi promieniowało światło, co leży po drugiej stronie ciemności – blask fantastyczny.

Miał niezbyt ciekawą fioletową barwę.

Jak już wspomniano, Octavo było przykute do pulpitu rzeźbionego w kształt czegoś, co przypominało trochę ptaka, trochę gada i coś przerażająco żywego. Para lśniących oczu obserwowała magów ze skrywaną nienawiścią.

– Jesteśmy bezpieczni, póki nie dotkniemy księgi – oznajmił Trymon. Wyjął zza pasa i rozwinął zwój pergaminu. – Podajcie mi pochodnię – rzucił. – I zgaś tego papierosa!

Czekał na wściekły wybuch urażonej dumy, który jednak nie nastąpił. Upomniany mag drżącymi palcami wyjął niedopałek z ust i rozdeptał na podłodze.

Trymon tryumfował. I co? – pomyślał. Robią, co im każę. Może tylko w tej chwili, ale to mi wystarczy.

Zerknął na niewyraźne pismo dawno nieżyjącego maga.

– Do rzeczy – mruknął. – Zobaczmy... „Aby poskromić go, stwora owego, co jest strażnikiem...".

 Przerażony tłum przelewał się tam i z powrotem przez most łączący Morpork i Ankh. Rzeka w dole, mętna nawet w najbardziej sprzyjających warunkach, teraz była tylko wąską parującą strużką.

Most trochę mocniej, niż powinien, wibrował pod stopami. Dziwne zmarszczki przebiegały po powierzchni błotnistych resztek rzeki. Kilka dachówek zsunęło się z dachu pobliskiego domu.

– Co to było? – zapytał Dwukwiat.

Bethan obejrzała się i krzyknęła przeraźliwie.

Wschodziła gwiazda. Słońce Dysku umknęło w bezpieczne miejsce poza horyzontem, a wielka, obrzmiała kula gwiazdy wspinała się wolno na niebo, aż całym obwodem wypełzła kilka stopni powyżej krawędzi świata.

Wciągnęli Rincewinda do jakiejś bramy, ale tłum nie zwracał na nich uwagi. Ludzie biegli przed siebie, przerażeni jak lemingi.

– Gwiazda ma plamy – zauważył Dwukwiat.

– Nie – rzekł Rincewind. – To są... rzeczy. Rzeczy krążące wokół niej, jak nasze słońce krąży wokół Dysku. A zbliżają się, ponieważ... ponieważ... – Urwał. – Prawie wiedziałem.

– Co wiedziałeś?

– Muszę się pozbyć tego Zaklęcia!

– Którędy do uniwersytetu? – spytała Bethan.

– Tędy! – Rincewind wskazał ulicę.

– Musi być bardzo popularny. Tam właśnie wszyscy biegną.

– Ciekawe po co? – zastanowił się Dwukwiat.

– Nie sądzę, żeby chcieli się zapisać na studia wieczorowe – mruknął ponuro Rincewind.

Tymczasem Niewidoczny Uniwersytet był oblężony, a w każdym razie oblężone były te jego części, które sięgały w zwykłe, codzienne wymiary rzeczywistości. Ogólnie biorąc, tłumy u bram domagały się jednej z dwóch rzeczy: a) magowie powinni przestać marnować czas i pozbyć się gwiazdy albo – i to żądanie popierali ludzie z gwiazdami – b) powinni zaprzestać wszelkich czarów i po kolei popełnić samobójstwo, tym samym oczyszczając Dysk z klątwy magii i ratując go przed straszliwą groźbą z nieba.

Magowie wewnątrz murów nie mieli najmniejszego pojęcia, jak dokonać a), ani najmniejszej ochoty dokonać b). Wielu z nich decydowało się na c), czyli wyskakiwanie przez ukryte furtki i odbieganie na palcach jak najdalej, jeśli nie jak najszybciej.

Pozostałą do dyspozycji uniwersytetu magię wykorzystywano do zabezpieczenia bram. Magowie przekonywali się właśnie, że choć bramy zamykane czarami są niewątpliwie wspaniałe i robią należyte wrażenie, budowniczym powinno wpaść do głowy, żeby zamontować jakiś awaryjny system wspomagający... na przykład parę zwyczajnych, nieciekawych, ale solidnych żelaznych sztab.

Na placu przed bramą płonęły ogniska – głównie dla efektu, ponieważ żar gwiazdy przypiekał mocno.

– Ale ciągle widać gwiazdy – stwierdził Dwukwiat. – To znaczy inne gwiazdy. Te małe. Na czarnym niebie.

Rincewind nie zwracał na niego uwagi. Obserwował bramę. Grupa ludzi, i tych z gwiazdami, i zwykłych obywateli próbowała wyważyć jej skrzydła.

– To beznadziejne – uznała Bethan. – Nigdy się tam nie dostaniemy. Gdzie idziesz?

– Na spacer – odparł Rincewind i zdecydowanym krokiem skręcił w boczną ulicę.

Zobaczyli tu kilku indywidualnych uczestników zamieszek, zajętych głównie oczyszczaniem sklepów. Rincewind nie zwracał na nich uwagi; podążał wzdłuż muru, aż dotarł do mrocznego zaułka, gdzie unosił się zwykły, stęchły zapach wszystkich zaułków we wszechświecie.

Tu zaczął bardzo uważnie badać kamienie. Mur miał w tym miejscu dwadzieścia stóp wysokości i zwieńczały go groźne metalowe kolce.

– Potrzebuję noża – oświadczył.

– Chcesz wyciąć sobie przejście? – zdziwiła się Bethan.

– Poszukajcie noża – polecił mag i zaczął opukiwać kamienie.

Dwukwiat i Bethan spojrzeli na siebie i wzruszyli ramionami. Po kilku minutach wrócili z całym zestawem noży. Turysta znalazł nawet miecz.

– Zabraliśmy je sobie – wyjaśniła Bethan.

– Ale zostawiliśmy pieniądze – zapewnił Dwukwiat. – To znaczy zostawilibyśmy, gdybyśmy jakieś mieli...

– Dlatego uparł się, żeby napisać wiadomość – dodała ze znużeniem Bethan.

Dwukwiat wyprostował się na pełną wysokość, co w jego wypadku nie było warte wysiłku.

– Nie widzę powodu... – zaczął z godnością.

– Tak, tak... – Dziewczyna usiadła zniechęcona. – Wiem, że nie widzisz. Rincewindzie, we wszystkich sklepach wyłamano drzwi, a po drugiej stronie ulicy tłum rabuje instrumenty muzyczne. Aż trudno uwierzyć.

– Tak... – Rincewind wybrał nóż i w zamyśleniu sprawdził ostrze.
– Pewnie lutnicy.

Wsunął klingę w mur, przekręcił i odskoczył, gdy ciężki kamień upadł na ulicę. Podniósł głowę, policzył coś pod nosem i wyważył kolejny kamień.

– Jak to zrobiłeś? – zdziwił się Dwukwiat.

– Lepiej mi pomóż, dobrze?

Po chwili mag, wsuwając stopy w otwory, budował kolejne stopnie w połowie wysokości muru.

– Ta droga istnieje od wieków – dobiegł ich z góry jego głos.
– Niektóre kamienie nie są spojone zaprawą. Tajne wejście, rozumiecie? Uwaga!

Następny kamień uderzył o bruk.

– Studenci zorganizowali to wiele lat temu. Można wygodnie wyjść i wrócić po zgaszeniu świateł.

– Aha! – zawołał nagle Dwukwiat. – Teraz rozumiem. Przez mur do jasno oświetlonych tawern, żeby pić, śpiewać i recytować poezję.

– Prawie zgadłeś... Z wyjątkiem tych śpiewów i recytacji – potwierdził Rincewind. – Parę szpikulców powinno być obluzowanych...

Coś brzęknęło.

– Z drugiej strony jest dość nisko – usłyszeli po kilku sekundach.
– Chodźcie... jeśli idziecie.

I stało się: Rincewind, Dwukwiat i Bethan wkroczyli na teren Niewidocznego Uniwersytetu.

Tymczasem w innym punkcie miasteczka akademickiego... ośmiu magów wsunęło swoje klucze i – po dłuższej chwili spoglądania na siebie niepewnie – przekręciło je. Coś cicho szczęknęło i zamki ustąpiły.

Octavo było wolne. Delikatny oktarynowy blask rozjaśnił okładki.

Nikt nie zaprotestował, gdy Trymon podniósł księgę. Poczuł mrowienie w ręku.

– A teraz do Głównego Holu, bracia – powiedział. – Ja poprowadzę, jeśli pozwolicie...

Nikt się nie sprzeciwił.

Dotarł do drzwi, ściskając pod pachą księgę. Zdawała się gorąca i jakby kłująca.

Z każdym krokiem oczekiwał krzyku, protestu... i nic się nie zdarzyło. Z najwyższym trudem powstrzymywał się od śmiechu. Poszło łatwiej, niż sobie wyobrażał.

Pozostali byli dopiero w połowie drogi przez ciasny loch i może nawet dostrzegli coś w pozycji jego ramion... Ale już za późno, gdyż przekroczył próg, chwycił klamkę, zatrzasnął drzwi, przekręcił klucz i uśmiechnął się.

Sprężystym krokiem pomaszerował do schodów. Ignorował wściekłe wołania magów, którzy właśnie odkryli, jak trudno jest rzucić czar w pomieszczeniu zaprojektowanym tak, żeby było odporne na magię.

Octavo szarpnęło się, ale Trymon trzymał je mocno. Biegł teraz, nie zwracając uwagi na przerażające iluzje pod pachą, na księgę zmieniającą się w rzeczy kosmate, lodowate albo kolczaste. Ręka mu zdrętwiała. Lekkie świergoczące dźwięki, które słyszał przez cały czas, teraz nabrały mocy. Pojawiły się też inne: głosy drwiące, wzywające go, głosy istot niewyobrażalnie strasznych, które Trymonowi aż nazbyt łatwo było sobie wyobrazić. Przebiegł przez Główny Hol i ruszył schodami w górę. Cienie poruszyły się, zgęstniały i otoczyły go zwartym kręgiem. Nagle zdał sobie sprawę, że coś go ściga... coś na giętkich nogach, biegnące nieprzyzwoicie szybko. Lód osiadał na ścianach. Drzwi sięgały po niego, kiedy je mijał. Schody pod nogami sprawiały wrażenie języka...

Nie na darmo Trymon przez długie godziny rozwijał psychiczne muskuły w niezwykłym uniwersyteckim odpowiedniku sali gimnastycznej. Nie ufaj zmysłom, powtarzał sobie, gdyż łatwo je oszukać. Schody gdzieś tu są... zażądaj, żeby były, powołaj je do istnienia i, chłopie, lepiej zrób to dobrze, bo nie wszystko tu jest iluzją.

Wielki A'Tuin zwolnił.

Płetwami wielkości kontynentów niebiański żółw walczył z przyciąganiem gwiazdy. Czekał.

Nie miał czekać długo...

Rincewind ostrożnie wkroczył do Głównego Holu. Płonęło tu kilka pochodni i wyglądało na to, że przygotowano wszystko do jakiegoś magicznego rytuału. Jednak ceremonialne świece leżały poprzewracane, a wyrysowane kredą złożone oktogramy były zamazane, jakby ktoś po nich tańczył. W powietrzu unosił się zapach przykry nawet według liberalnych norm Ankh-Morpork. Była w nim sugestia siarki, lecz w głębi coś znacznie gorszego. Cuchnęło jak dno stęchłej sadzawki.

Coś trzasnęło i z daleka zabrzmiał chór okrzyków.

– Chyba padła brama – zauważył Rincewind.

– Wynośmy się stąd – zaproponowała Bethan.

– Podziemia są tam – poinformował mag i skręcił pod łuk sklepienia.

– Tam na dole?

– Tak. Wolisz zostać tutaj?

Z pierścienia w ścianie wyjął pochodnię i ruszył schodami w dół. Po kilku kondygnacjach skończyła się boazeria na ścianach i pozostały surowe kamienie. Tu i ówdzie ciężkie drzwi stały otworem.

– Coś słyszałem – stwierdził Dwukwiat.

Rincewind zaczął nasłuchiwać. Z głębi lochów dochodziły jakieś głosy. Nie brzmiały przerażająco. Mieli wrażenie, jakby wielu ludzi dobijało się do drzwi i wołało „Ej! Rup!".

– To nie te stwory z Wymiarów Piekieł, o których nam opowiadałeś? – upewniła się Bethan.

– One tak nie przeklinają – odparł Rincewind. – Chodźmy.

Pobiegli wilgotnymi korytarzami, podążając za krzykami, przekleństwami i potwornym kaszlem, który dodawał im odwagi. Cokolwiek tak się krztusi, nie może stanowić wielkiego zagrożenia.

W końcu dotarli do drzwi osadzonych we wnęce. Wyglądały na dostatecznie mocne, by powstrzymać morze. Znajdowało się w nich małe okratowane okienko.

– Hej! – zawołał Rincewind.

Nie był to szczególnie wymyślny okrzyk, ale nic lepszego nie przyszło mu do głowy.

Zapadła cisza. Po chwili zza drzwi odezwał się głos.

– Kto tam? – zapytał bardzo powoli.

Rincewind natychmiast go rozpoznał. Dawno temu, w upalne popołudnia w klasie, ten głos wyrywał go z marzeń w krainę grozy.

Należał do Lemuela Pantera, który kiedyś swoim celem życiowym uczynił wbicie do głowy młodemu studentowi podstaw wróżb i przywołań. Rincewind pamiętał te oczy jak wiertła na świńskiej twarzy, pamiętał głos mówiący: „A teraz pan Rincewind narysuje na tablicy odpowiedni symbol". A potem tysiąc mil drogi wśród milczących kolegów, kiedy usiłował sobie przypomnieć, o czym brzęczał ten głos pięć minut temu. Jeszcze teraz trwoga ściskała mu krtań i dręczyło niejasne poczucie winy. Piekielne Wymiary nie miały z tym nic wspólnego.

– Przepraszam pana, to ja, proszę pana, Rincewind – wykrztusił. Zauważył spojrzenia Dwukwiata i Bethan. Odchrząknął. – Właśnie – dodał głosem tak stanowczym, na jaki tylko mógł się zdobyć. – To ja, Rincewind. Tak jest.

Po drugiej stronie zaszeleściły szepty.

– *Rincewind?*

– *Jaki prinz?*

– *Przypominam sobie takiego chłopaka. Zupełnie się nie...*

– *Zaklęcie, pamiętacie?*

– *Rincewind?*

Przez chwilę trwało milczenie. Wreszcie głos zapytał:

– W zamku pewno nie ma klucza, co?

– Nie – przyznał Rincewind.

– *Co powiedział?*

– *Że nie.*

– *To dla niego typowe.*

– Ehem... Kto tam jest? – zapytał Rincewind.

– Mistrzowie magii – odparł z godnością głos.

– Dlaczego?

Znowu cisza, zakłócana tylko ożywioną dyskusją zakłopotanych szeptów.

– My, tego... jesteśmy tu zamknięci – wyjaśnił niechętnie głos.

– Jak to? Z Octavo?

Szepty.

– Octavo... właściwie tu... właściwie go nie ma...

– Aha. Ale wy jesteście – powiedział Rincewind jak najuprzejmiej, uśmiechnięty niczym nekrofil w kostnicy.

– Jak się zdaje, tak właśnie wygląda sytuacja.

– Czy możemy wam jakoś pomóc? – spytał gorliwie Dwukwiat.

– Możecie nam pomóc stąd wyjść.

– Potrafimy otworzyć zamek? – spytała Bethan.

– Nic z tego – odparł Rincewind. – Absolutnie odporny na złodziei.

– Cohen by pewnie potrafił – stwierdziła lojalnie dziewczyna. – Gdziekolwiek teraz jest...

– Bagaż szybko wyłamałby te drzwi – dodał Dwukwiat.

– No to po sprawie – oświadczyła Bethan. – Wyjdźmy na świeże powietrze. W każdym razie świeższe.

Odwróciła się.

– Zaraz, zaraz – powstrzymał ją Rincewind. – To typowe, prawda? Biedaczysko Rincewind i tak nic nie wymyśli, prawda? Nie, to tylko tępy kloc, nic więcej. Kopnijcie go, przechodząc. Nie ma co na niego liczyć, jest...

– No dobrze – wtrąciła Bethan. – Mów, jaki masz pomysł.

– ...nikim, durniem, zwyczajnym... Co?

– Jak zamierzasz otworzyć te drzwi?

Rincewind jej się przyglądał, rozdziawiając usta. Potem spojrzał na drzwi. Były naprawdę solidne, a zamek wręcz ociekał pewnością siebie.

Ale kiedyś, bardzo dawno temu, udało mu się tam wejść. Student Rincewind pchnął te drzwi, a one ustąpiły. A po chwili Zaklęcie wskoczyło mu do głowy i zrujnowało życie.

– Posłuchaj – odezwał się głos zza kratki, najdelikatniej jak tylko potrafił. – Idź i poszukaj jakiegoś maga. No, bądź grzecznym chłopcem...

Rincewind nabrał tchu.

– Cofnijcie się – rzucił.

– Co?

– Schowajcie się za czymś – warknął. Głos drżał mu tylko odrobinę. – Wy też – dodał, zwracając się do Bethan i Dwukwiata.

– Przecież nie możesz...

– Mówię poważnie!

– Mówi poważnie – potwierdził Dwukwiat. – Widzisz tę małą żyłkę na skroni? Kiedy pulsuje mu właśnie tak, to znaczy...

– Zamknij się!

Rincewind niepewnie wyciągnął rękę i wskazał zamek.

Panowała absolutna cisza.

Bogowie, pomyślał. Co teraz?

W ciemnościach jego umysłu Zaklęcie poruszyło się niespokojnie.

Rincewind próbował dostroić się do rezonansu czy czegokolwiek innego, co występuje w metalu zamka. Gdyby zasiał chaos wśród atomów, żeby się rozpadły...

Nic się nie stało.

Przełknął ślinę i skoncentrował umysł na drewnie. Było stare, niemal skamieniałe i pewnie nie zapłonęłoby nawet wymoczone w oliwie i wrzucone na palenisko. Spróbował mimo to, tłumacząc pradawnym molekułom, że powinny podskakiwać, by zwiększyć temperaturę...

W pełnej napięcia ciszy swego umysłu gniewnym wzrokiem zmierzył Zaklęcie. Wyraźnie osłupiało.

Zastanowił się nad powietrzem wokół drzwi – jak można je skręcić w dziwaczne kształty, by same drzwi zaistniały w całkiem innym układzie współrzędnych.

Drzwi stały na miejscu, wyzywająco solidne.

Spocił się. W myślach znowu rozpoczynał nieskończony marsz do tablicy wśród uśmiechniętych drwiąco kolegów. Jeszcze raz spojrzał na zamek. Z pewnością jest wykonany z małych kawałków metalu, niezbyt ciężkich...

Zza kratki dobiegł najcichszy z dźwięków. To magowie odprężali się i potrząsali głowami.

– *A nie mówiłem...* – szepnął któryś.

Zabrzmiał cichy zgrzyt, a potem trzask.

Twarz Rincewinda zmieniła się w maskę. Pot kapał mu z brody.

Znowu coś trzasnęło i zgrzytnęły oporne sworznie. Trymon wprawdzie naoliwił zamek, ale oliwę wchłonęła rdza i kurz wieków. A dla maga jedynym sposobem na poruszenie czegokolwiek, jeśli nie może wykorzystać zewnętrznego punktu podparcia, jest użycie podpory własnego umysłu.

Rincewind starał się z całej mocy, by mózg nie wypłynął mu uszami.

Zamek zagrzechotał. Metalowe pręty zgięły się w wyszczerbionych otworach, ustąpiły, pchnęły dźwignie. Dźwignie szczęknęły, nacięcia trafiły na bolce. Rozległ się długi, przeciągły zgrzyt. Rincewind osunął się na kolana.

Drzwi uchyliły się na opornych zawiasach. Magowie wyszli ostrożnie.

Dwukwiat i Bethan pomogli Rincewindowi wstać. Twarz mu poszarzała i chwiał się na nogach.

– Nieźle – ocenił któryś z magów, badając zamek. – Może trochę za wolno.

– To nieważne! – zawołał Jiglad Wert. – Czy nie spotkaliście kogoś po drodze?

– Nie – odparł Dwukwiat.

– Ktoś ukradł Octavo.

Rincewind gwałtownie odwrócił głowę. Skoncentrował się.

– Kto?

– Trymon...

Rincewind przełknął ślinę.

– Wysoki? – zapytał. – Jasne włosy, trochę podobny do fretki?

– Właściwie, kiedy już o tym wspomniałeś...

– Był w mojej klasie. Wszyscy powtarzali, że daleko zajdzie.

– Zajdzie o wiele dalej, jeśli otworzy księgę – stwierdził jeden z magów, w drżących palcach pospiesznie skręcając papierosa.

– Czemu? – zdziwił się Dwukwiat. – Co się stanie?

Magowie spojrzeli po sobie.

– To pradawny sekret, przekazywany z maga na maga – rzekł Wert. – Nie możemy go zdradzać ludziom nieuczonym.

– Czy to takie ważne?

– Może nie... zresztą i tak już pewnie nie ma znaczenia. Jeden umysł nie zdoła pomieścić wszystkich zaklęć. Załamie się i powstanie otwór.

– Gdzie? W jego głowie?

– No... nie. W osnowie wszechświata – wyjaśnił Wert. – Jemu może się wydawać, że sam nad tym zapanuje, ale...

Wyczuli ów dźwięk, zanim jeszcze go usłyszeli. Rozpoczął się jako powolna wibracja w kamieniach, potem nagle wzniósł się do ostrego jak nóż pisku, który omijał bębenki i wwiercał się bezpośrednio w mózg. Brzmiał jak głos człowieka, który śpiewa, modli się albo krzyczy, były w nim jednak inne, głębsze rezonanse.

Magowie pobledli. Potem, jak jeden mąż, odwrócili się i pognali schodami w górę.

Na zewnątrz budynku zebrał się tłum. Niektórzy trzymali pochodnie, inni przerwali właśnie układanie stosów chrustu pod ścianami. Wszyscy patrzyli na Wieżę Sztuk.

Magowie przecisnęli się między ludźmi i także zadarli głowy.

Niebo pełne było księżyców, a każdy trzykrotnie przerastał księżyc Dysku. Wszystkie tkwiły w cieniu, ukazując jedynie różowe sierpy tam, gdzie odbijały światło gwiazd.

Ale o wiele bliżej szczyt Wieży Sztuk jarzył się w płomiennej furii. W łunie przemykały niewyraźne cienie, a ich kształt nie dodawał otuchy. Dźwięk zmienił się w coś podobnego do wzmocnionego milion razy brzęczenia komara.

Niektórzy z magów padli na kolana.

– Zrobił to! – Wert pokręcił głową. – Otworzył przejście.

– A to są demony? – zapytał Dwukwiat.

– Co tam demony – westchnął Wert. – Demony to miłe towarzystwo w porównaniu z tym, co próbuje się tu przedostać.

– Są gorsze niż wszystko, co potrafisz sobie wyobrazić – dodał Panter.

– Potrafię sobie wyobrazić kilka naprawdę strasznych rzeczy – zapewnił Rincewind.

– Te są gorsze.

– Och.

– I co macie zamiar z tym zrobić? – odezwał się dźwięczny głos.

Obejrzeli się. Bethan patrzyła na nich, krzyżując ręce na piersi.

– Słucham? – Wert nie zrozumiał.

– Jesteście magami, tak? – rzekła. – Więc bierzcie się do roboty.

– Co? Wystąpić przeciw temu, co się tam dzieje? – zdumiał się Rincewind.

– Znasz kogoś innego?

Wert przecisnął się do przodu.

– Droga pani, chyba nie w pełni pani rozumie...

– Piekielne Wymiary wysypią się do naszego wszechświata, zgadza się? – spytała Bethan.

– No... tak.

– I wszystkich pożrą stwory z mackami zamiast twarzy. Zgadza się?

– Nie aż tak sympatyczne, ale...

– A wy chcecie na to pozwolić?

– Posłuchaj – wtrącił Rincewind. – Już po wszystkim. Nie można z powrotem umieścić zaklęć w księdze, nie można cofnąć tego, co zostało powiedziane, nie można...

– Można spróbować!

Rincewind westchnął i spojrzał na Dwukwiata. Nie znalazł go. Bezwiednie podążył wzrokiem ku podstawie Wieży Sztuk. Zdążył jeszcze dostrzec znikającą w drzwiach pulchną sylwetkę turysty i miecz niefachowo trzymany w dłoni.

167

Stopy Rincewinda podjęły samowolną decyzję, całkowicie błędną z punktu widzenia głowy.

Pozostali magowie spoglądali za nim.

– I co? – spytała Bethan. – On idzie.

Magowie starali się nie patrzeć sobie w oczy.

– Chyba moglibyśmy spróbować – stwierdził w końcu Wert. – To się nie rozszerza.

– Ale nie mamy już prawie magii – wtrącił któryś z jego kolegów.

– A czy ktoś ma lepszy pomysł?

Jeden po drugim, w połyskujących w niesamowitym blasku ceremonialnych szatach, magowie odwrócili się i podreptali do wieży.

Wieża była wewnątrz pusta, a kamienne stopnie wmurowano spiralnie w ściany. Dwukwiat pokonał kilka okrążeń, nim dopędził go Rincewind.

– Czekaj! – zawołał tonem perswazji. – Takie wyczyny są dobre dla Cohena i jemu podobnych, nie dla ciebie. Nie obraź się.

– A czy on dałby radę?

Rincewind zerknął na rozjarzoną łunę padającą z odległego otworu w dachu wieży.

– Nie – przyznał.

– Więc nie będę gorszy od niego, prawda? – zapytał Dwukwiat, mężnie ściskając swój kradziony miecz.

Rincewind skakał za nim, trzymając się jak najbliżej ściany.

– Nic nie rozumiesz! – wołał. – Tam na górze są niewyobrażalnie straszne potwory!

– Zawsze twierdziłeś, że nie mam wyobraźni.

– Słuszna uwaga – przyznał Rincewind. – Ale...

Dwukwiat usiadł.

– Posłuchaj – rzekł. – Odkąd tu przybyłem, cały czas czekałem na coś takiego. Przecież to właśnie jest przygoda. Samotny przeciwko bogom i w ogóle...

Rincewind kilka razy otwierał i zamykał usta, zanim wreszcie jakoś się z nich wydostały właściwe słowa.

– Potrafisz używać miecza? – zapytał słabym głosem.

– Nie wiem. Nigdy nie próbowałem.

– Jesteś szalony!

Dwukwiat przyglądał mu się z ukosa.

– I kto to mówi? – spytał drwiąco. – Jestem tutaj, ponieważ na niczym się nie znam. Ale ty? – Wyciągnął rękę, wskazując zdyszanych magów wspinających się po schodach. – A tamci?

Błękitne światło przeszyło wnętrze wieży. Zahuczał grom. Magowie ich dogonili. Kaszleli głośno i z trudem łapali oddech.

– Jaki jest plan? – spytał Rincewind.

– Nie ma żadnego – odparł Wert.

– Świetnie. Doskonale. W takim razie nie będę wam przeszkadzał w jego wykonaniu.

– Idziesz z nami – oświadczył Panter.

– Przecież nie jestem nawet prawdziwym magiem. Wyrzuciliście mnie. Pamiętacie?

– Nie miałem jeszcze mniej uzdolnionego studenta – przyznał stary mag. – Ale jesteś tutaj, a to jedyne, co się liczy. Chodźmy.

Światło rozbłysło i zgasło. Straszliwe odgłosy ucichły jak zduszone. Cisza wypełniła wieżę – ciężka, pełna napięcia cisza.

– Przestało – zauważył Dwukwiat.

Coś poruszyło się wysoko, na tle kwadratu czerwonego nieba. Opadało powoli, wirując i przelatując od ściany do ściany, aż wylądowało na schodach o jeden krąg pod nimi.

Rincewind dobiegł tam pierwszy.

To było Octavo. Ale leżało na kamieniu bezwładne i martwe jak zwykła książka. Strony szeleściły w przeciągu.

Dwukwiat sapał tuż za plecami Rincewinda.

– Są czyste – wyszeptał. – Wszystkie strony są czyste.

– A więc dokonał tego – stwierdził Wert. – Przeczytał zaklęcia. Udało mu się. Nigdy bym nie uwierzył.

– A te hałasy? – spytał z powątpiewaniem Rincewind. – I światła? A te kształty? Nie wyglądało mi to na sukces.

– Przy wielkich dziełach magicznych zawsze mamy do czynienia z pewnym zakresem pozawymiarowej uwagi – rzucił lekceważąco Panter. – Robi wrażenie na widzach, nic więcej.

– To w górze wyglądało jak potwory – oświadczył Dwukwiat, stając bliżej Rincewinda.

– Potwory? Pokażcie mi jakiegoś potwora! – zawołał Wert.

Odruchowo podnieśli głowy. Z góry nie dobiegał żaden dźwięk. Nic się nie poruszyło na tle jasnego kwadratu wejścia.

– Powinniśmy chyba pójść tam i hm... pogratulować mu – oświadczył Wert.

– Pogratulować? – nie wytrzymał Rincewind. – On ukradł Octavo! A was zamknął!

Magowie spojrzeli na niego z wyższością.

– No cóż – rzekł jeden. – Kiedy poczynisz odpowiednie postępy w sztuce, mój chłopcze, przekonasz się, że niekiedy najważniejszy jest sukces.

– Liczy się cel – oświadczył bez ogródek Wert. – A nie droga do niego.

Ruszyli spiralą w górę.

Rincewind usiadł i w ciemności zmarszczył brwi. Poczuł czyjąś dłoń na ramieniu. To był Dwukwiat, który wciąż trzymał Octavo.

– Jak można w ten sposób traktować książki – powiedział. – Patrz, przegiął grzbiet w drugą stronę. Ludzie zawsze tak robią. Nie mają pojęcia, jak się z nimi obchodzić.

– Aha – mruknął niewyraźnie Rincewind.

– Nie martw się – poprosił Dwukwiat.

– Nie martwię się. Jestem zły. Daj mi to!

Porwał księgę i otworzył ją gwałtownie. Potem przeszukał głębie swego umysłu, gdzie siedziało Zaklęcie.

– No dobrze – warknął. – Zabawiłeś się, zrujnowałeś mi życie, a teraz wracaj na swoje miejsce!

– Przecież ja... – zaprotestował Dwukwiat.

– Zaklęcie! Chodzi mi o Zaklęcie! No już, wracaj na kartkę!

Oczy wyszły mu z orbit, tak mocno wpatrywał się w stary pergamin.

– Wtedy cię wypowiem! – krzyczał, a głos odbijał się echem od ścian wieży. – Możesz dołączyć do reszty i robić potem, co ci się podoba!

Wcisnął księgę w dłoń Dwukwiata i zataczając się, ruszył do góry.

Magowie dotarli na szczyt i zniknęli w otworze. Rincewind wspiął się za nimi.

– Chłopcze, tak? – mruczał pod nosem. – Kiedy poczynię postępy w sztuce, tak? Przez lata udawało mi się żyć z jednym z Wielkich Zaklęć w głowie i nie zwariowałem, prawda? – Rozważył wszelkie aspekty ostatniego pytania. – Nie zwariowałeś – uspokoił sam siebie. – Nie zacząłeś rozmawiać z drzewami, nawet kiedy drzewa z tobą rozmawiały.

Wynurzył się w dusznym powietrzu na szczycie wieży. Spodziewał się, że zobaczy kamienie poczerniałe od ognia, pokreślone śladami szponów, a może nawet coś jeszcze gorszego. Zobaczył natomiast siedmiu mistrzów magii stojących obok Trymona, który nie odniósł najmniejszej szkody. Obejrzał się tylko i uśmiechnął z sympatią.

– Co widzę? Rincewind! Chodź do nas.

Więc to jest to, pomyślał Rincewind. Cały dramat na nic. Może naprawdę nie nadaję się na maga, może...

Podniósł głowę i spojrzał w oczy Trymona.

Może to Zaklęcie przez lata zamieszkujące umysł wpłynęło na jego wzrok. Może podróże z Dwukwiatem, który widział rzeczy takimi, jakie być powinny, nauczyły go widzieć rzeczy takimi, jakie są naprawdę. Jedno było pewne: dokonał największego wyczynu w życiu, kiedy spojrzał w oczy Trymona i nie rzucił się do ucieczki ani nie zwymiotował gwałtownie.

Pozostali nic chyba nie zauważyli.

I w ogóle się nie ruszali.

Trymon usiłował zapanować nad siedmioma zaklęciami, jego umysł temu nie podołał i Wymiary Piekieł znalazły bramę. Głupio byłoby oczekiwać, że machając czułkami i mackami, stwory wymaszerują z jakiegoś rozdarcia w niebie. To staromodna metoda, zbyt ryzykowna. Nawet bezimienna groza nauczyła się iść z duchem czasu. Tak naprawdę stwory musiały tylko wejść do czyjejś głowy.

Oczy Trymona były pustymi otworami.

Wiedza niczym lodowe ostrze wdarła się do umysłu Rincewinda. Wymiary Piekieł okażą się placem zabaw dla dzieci w porównaniu z tym, co stwory zrobią we wszechświecie porządku. Ludzie pragnęli porządku i dostaną go: porządek obracającej się śruby, niezmienne prawo linii prostych i liczb. Będą błagali o mękę...

Trymon mu się przyglądał. Coś mu się przyglądało. A inni nadal nic nie zauważyli. Czy potrafiłby im to wytłumaczyć? Trymon wyglądał tak samo jak zawsze – gdyby nie te oczy i delikatny połysk skóry.

Rincewind patrzył i wiedział, że istnieją rzeczy gorsze od Zła. Wszystkie demony piekła z radością poddadzą torturom ludzką duszę – bo dusze cenią wysoko. Zło zawsze usiłuje zdobyć wszechświat, ale przynajmniej uważa go za wart zdobywania. Lecz szara pustka za tymi pustymi oczami będzie deptać i niszczyć, nie dając swym ofiarom nawet dumy nienawiści. Nawet ich nie zauważy.

Trymon wyciągnął rękę.

– Ósme zaklęcie – powiedział. – Oddaj mi je.

Rincewind cofnął się o krok.

– To nieposłuszeństwo, Rincewindzie. Jestem przecież twoim zwierzchnikiem. Co więcej, zostałem wybrany najwyższym przywódcą wszystkich obrządków.

– Naprawdę? – wychrypiał Rincewind. Zerknął na pozostałych magów. Stali nieruchomo jak posągi.

– Tak – odparł uprzejmie Trymon. – Bez żadnych nacisków. Bardzo demokratycznie.

– Wolałem tradycyjne sposoby – stwierdził Rincewind. – Tam nawet umarli mieli prawo głosu.

– Oddasz mi Zaklęcie z własnej woli – oświadczył Trymon. – Czy mam ci pokazać, co zrobię, jeśli odmówisz? A w końcu i tak ustąpisz. Będziesz wrzeszczał i błagał o szansę, by mi je przekazać.

Jeśli coś gdzieś się kończy, pomyślał Rincewind, to właśnie tutaj.

– Musisz je sobie wziąć – powiedział głośno. – Ja ci go nie oddam.

– Pamiętam cię. Zawsze byłeś marnym studentem. Nigdy naprawdę nie ufałeś magii. Powtarzałeś, że musi istnieć lepsza metoda kierowania wszechświatem. No cóż, sam zobaczysz. Mam rozległe plany. Moglibyśmy...

– Nie my – przerwał stanowczo Rincewind.

– Oddaj mi Zaklęcie!

– Spróbuj je sobie wziąć! – Rincewind znowu zrobił krok do tyłu. – Nie uda ci się.

– Doprawdy?

Rincewind odskoczył w bok, gdy strumienie oktarynowego ognia wystrzeliły z palców Trymona i pozostawiły na kamieniach dachu wrzącą kałużę roztopionej skały.

Wyczuwał Zaklęcie ukryte w głębi umysłu. Wyczuwał jego lęk.

Szukał go w milczących jaskiniach myśli. Cofało się zdumione, jak pies stojący oko w oko z rozszalałą owcą. Tupiąc gniewnie, podążał za nim przez nieużywane place i śródmiejskie dzielnice dotknięte katastrofą. Wreszcie znalazł je, ukryte za stosami skazanych wspomnień. Krzyknęło na niego bezgłośnie i wyzywająco, ale Rincewind nie miał czasu na głupstwa.

To tak?!! – wrzasnął na nie. Kiedy przychodzi czas, żeby pokazać, na co cię stać, ty się chowasz? Tchórzysz?!

To bzdura, powiedziało Zaklęcie. Chyba sam w to nie wierzysz. Jestem jednym z Ośmiu Zaklęć.

Ale Rincewind zbliżał się coraz bardziej, krzycząc: Możliwe, ale rzecz w tym, że wierzę! A ty lepiej sobie przypomnij, w czyjej głowie siedzisz, jasne? Tutaj mogę wierzyć, w co mi się podoba!

Odskoczył, gdy kolejny strumień ognia przebił gorące powietrze nocy. Trymon uśmiechnął się i wykonał rękami serię złożonych ruchów.

Rincewind poczuł straszliwy ciężar. Miał wrażenie, że ktoś używa jako kowadła każdego skrawka jego skóry. Osunął się na kolana.

– Są rzeczy o wiele gorsze – zauważył uprzejmie Trymon. – Mogę sprawić, że ciało wypali ci się do kości... albo wypełnię je mrówkami. Mam moc, by...

– Mam miecz – odezwał się piskliwy, wyzywający głos.

Rincewind uniósł głowę. Przez czerwoną mgiełkę cierpienia dostrzegł Dwukwiata. Turysta stał za Trymonem i trzymał miecz w sposób doskonale nieprawidłowy.

Trymon roześmiał się i zgiął palce. Na jedną chwilę musiał rozproszyć uwagę.

Rincewind był wściekły. Wściekły na Zaklęcie, na świat, na ogólną niesprawiedliwość, na to, że ostatnio nie mógł się wyspać, i na to, że nie potrafi myśleć logicznie. Ale najbardziej był zły na Trymona, który stał tam pełen mocy, jakiej Rincewind zawsze pragnął i nigdy nie osiągnął – i nie robił z nią nic sensownego.

Skoczył, desperacko wymachując rękami, i trafił Trymona głową w żołądek. Dwukwiat odleciał na bok, gdy potoczyli się na kamienie.

Trymon warknął i zdołał wypowiedzieć pierwszą sylabę zaklęcia, nim łokieć Rincewinda rąbnął go w szyję. Wybuch niekontrolowanej magii przypalił Rincewindowi włosy.

Rincewind walczył tak, jak walczył zawsze: nieumiejętnie, nieuczciwie i bez żadnej taktyki, jednak ze sporą dozą szybkości i energii. Nie dawał przeciwnikowi czasu, by się zorientował, że walczy z niezbyt dobrym ani silnym zapaśnikiem. Była to rozsądna strategia i często przynosiła efekty.

Przyniosła i teraz, gdyż Trymon za wiele czasu poświęcał na czytanie starych manuskryptów, zaniedbując ćwiczenia fizyczne i pozbawiając organizm koniecznych witamin. Zdołał wprawdzie zadać kilka ciosów, ale Rincewind był zbyt rozwścieczony, by je zauważyć. W dodatku Trymon używał tylko rąk, Rincewind zaś atakował również stopami, kolanami i zębami.

I wygrywał.

To go zszokowało.

Jeszcze większy szok przeżył, gdy klęczał na piersi Trymona i raz po raz walił go w głowę. Wtedy nagle twarz przeciwnika się zmieniła. Skóra zafalowała i pomarszczyła się, jakby oglądana przez fale żaru. Trymon przemówił:

– Pomóż mi!

Przez chwilę patrzył jeszcze na Rincewinda z lękiem, bólem i błaganiem. I nagle jego oczy stały się wielościennymi bryłami w głowie, którą można było tak nazwać, jedynie rozciągając zakres definicji do granic możliwości. Macki, piłowate odnóża i szpony wyciągnęły się, by zedrzeć z kości dość łykowate ciało Rincewinda.

Dwukwiat, wieża i czerwone niebo zniknęły. Czas biegł coraz wolniej, wreszcie stanął.

Rincewind z całej siły ugryzł mackę, która próbowała mu zerwać skórę z twarzy. Kiedy wyprostowała się z bólu, pchnął ręką i poczuł, że trafia w coś gorącego i lepkiego.

Obejrzał się i zobaczył, że walczy na scenie ogromnego amfiteatru. Ze wszystkich stron rzędami siedziały istoty o twarzach jakby stworzonych drogą krzyżowania koszmarów. Pochwycił obraz jeszcze gorszych stworów za plecami, olbrzymich cieni sięgających pochmurnego nieba. I wtedy potwór-Trymon zaatakował go haczykowatym żądłem rozmiarów włóczni.

Rincewind odskoczył w bok i machnął obiema dłońmi splecionymi w jedną pięść. Trafił stwora w brzuch czy może w odwłok. Ciosowi wtórował satysfakcjonujący chrzęst chityny.

Rincewind rzucił się naprzód. Walczył ze strachu przed tym, co się zdarzy, jeśli przestanie. Upiorną arenę wypełniał świergot piekielnych stworów, atakująca uszy ściana szeleszczących dźwięków. Wyobraził sobie, jak ten głos rozbrzmiewa na całym Dysku, i zadawał cios za ciosem, żeby ocalić świat ludzi, zachować maleńki krąg światła w mroku nocy chaosu, żeby zamknąć szczelinę, przez którą wkradał się koszmar. Głównie jednak uderzał, żeby powstrzymać uderzenia przeciwnika.

Szpony czy pazury kreśliły piekące linie na jego grzbiecie, jednak Rincewind w gąszczu łusek i kolców natrafił na węzeł miękkich rurek. Ścisnął je mocno.

Kolczaste ramię odrzuciło go na bok i potoczył się w czarnym pyle. Instynktownie zwinął się w kulę, lecz nic się nie stało. Otworzył oczy. Zamiast wściekłego natarcia, którego oczekiwał, zobaczył stworzenie oddalające się niepewnie i kapiące rozmaitymi cieczami.

Po raz pierwszy ktoś uciekał przed Rincewindem.

Skoczył za wrogiem, chwycił pokrytą łuskami nogę i przekręcił. Stwór zaświergotał i zamachał tymi kończynami, które jeszcze funkcjonowały. Jednak uścisk Rincewinda był nie do rozerwania. Mag poderwał się i zadał ostatni solidny cios w jedyne pozostałe oko. Stwór wrzasnął i zaczął uciekać. A było tylko jedno miejsce, gdzie mógł uciec.

Wieża i krwawe niebo powróciły z pstryknięciem ruszającego czasu.

Gdy tylko Rincewind poczuł pod nogami kamienne płyty, szarpnął całym ciężarem w bok i upadł na plecy, trzymając zdesperowanego potwora na odległość ramion.

– Teraz! – krzyknął.

– Co teraz? – nie zrozumiał Dwukwiat. – A tak! Racja!

Machnął mieczem niefachowo, ale dość mocno. Klinga o cal minęła Rincewinda i głęboko wbiła się w cielsko jego przeciwnika. Zabrzmiało przenikliwe brzęczenie, jakby cios trafił w gniazdo szerszeni. Ręce, nogi i macki wymachiwały w agonii. Stwór przetoczył się, wyjąc i w drgawkach okładając kamienie, a potem okładał już pustkę, ponieważ wytoczył się poza krawędź otworu wejścia. I pociągnął za sobą Rincewinda.

Coś zachlupotało, gdy stwór kilka razy odbił się od stopni, potem zabrzmiał wysoki, cichnący krzyk, kiedy spadał w studnię wieży. Zakończył to głuchy huk i oktarynowy rozbłysk.

Dwukwiat został sam na szczycie wieży – to znaczy sam, jeśli nie liczyć siedmiu magów, którzy wciąż trwali nieruchomo, jakby przymarzli do posadzki. Siedział oszołomiony, gdy siedem ognistych kul uniosło się z czerni i wpadło w porzucone Octavo. Księga natychmiast zaczęła wyglądać jak dawniej, a zatem o wiele bardziej interesująco.

– No, no – mruknął. – To pewnie zaklęcia.

– Dwukwiacie!

Głos był głuchy, odbijał się echem i z pewnym wysiłkiem dawał się rozpoznać jako głos Rincewinda.

Dwukwiat znieruchomiał z ręką wyciągniętą w stronę księgi.

– Słucham – wykrztusił. – Czy to... czy to ty, Rincewindzie?

– Tak. – W głosie wibrowały grobowe tony. – I chciałbym, Dwukwiacie, żebyś coś dla mnie zrobił. To bardzo ważne.

Dwukwiat rozejrzał się wokół. Wyprostował ramiona. A więc los Dysku miał jednak zależeć od niego.

– Jestem gotów – rzekł dumnie. – Co mam robić?

– Przede wszystkim wysłuchać mnie uważnie – odparł cierpliwie bezcielesny głos Rincewinda.

– Słucham.

– To bardzo ważne, żebyś... kiedy już skończę... nie pytał „O co ci chodzi?", nie spierał się ani nic podobnego. Rozumiesz?

Dwukwiat stanął na baczność. A przynajmniej jego umysł stanął na baczność, gdyż ciało nie było do tego zdolne. Wysunął za to kilka podbródków.

– Jestem gotów – powtórzył.

– Dobrze. Otóż chcę, żebyś...

– Tak?

Głos Rincewinda zabrzmiał głośniej z głębin klatki schodowej.

– Chcę, żebyś mnie wyciągnął, zanim puszczę ten kamień.

Dwukwiat otworzył usta i zamknął je pospiesznie. Podbiegł do kwadratowego otworu i zajrzał. W krwawym blasku gwiazdy dostrzegł wpatrzone w siebie oczy Rincewinda.

Turysta położył się na brzuchu i wyciągnął rękę. Dłoń Rincewinda pochwyciła go za przegub takim uchwytem, który wyraźnie sugerował, że jeśli Rincewind nie zostanie wyciągnięty, w żaden sposób tego uchwytu nie zwolni.

– Cieszę się, że żyjesz – zapewnił Dwukwiat.

– Miło mi. Ja też – odparł Rincewind.

Powisiał sobie trochę w ciemności. Po ostatnich minutach było to niemal przyjemne. Ale tylko niemal.

– Może byś mnie wyciągnął – podpowiedział.

– Mam wrażenie, że to będzie trudne – stęknął Dwukwiat. – Właściwie sądzę nawet, że niemożliwe.

– A czego się trzymasz?

– Ciebie.

– Miałem na myśli: czego oprócz mnie.

– Co to znaczy: oprócz ciebie?

Rincewind wymówił słowo.

– Wiesz co? – zastanowił się Dwukwiat. – Schody biegną dookoła po spirali, tak? Gdybym cię trochę rozhuśtał i puścił...

– Jeśli próbujesz sugerować, że mam spadać dwadzieścia stóp w całkiem ciemnej wieży, w nadziei że trafię na parę śliskich schodków, których może tam w ogóle nie ma... Wybij to sobie z głowy.

– Jest też inna możliwość.

– No gadaj, człowieku!

– Możesz spaść pięćset stóp w całkiem ciemnej wieży i trafić w kamienie, które są tam z całą pewnością – stwierdził Dwukwiat.

Odpowiedziała mu martwa cisza. Po długiej chwili Rincewind odezwał się oskarżycielskim tonem:

– To był sarkazm.

– Miałem wrażenie, że stwierdzam tylko to, co oczywiste.

Rincewind stęknął.

– Pewnie byś nie mógł rzucić jakiegoś czaru... – zaczął Dwukwiat.

– Nie.

– Tak tylko pomyślałem.

W dole błysnęło światło, rozległy się krzyki, potem było więcej świateł i więcej krzyków, wreszcie sznur pochodni ruszył schodami w górę.

– Jacyś ludzie wchodzą tu do nas – oznajmił Dwukwiat, zawsze chętny do udzielania informacji.

– Mam nadzieję, że biegną – odparł Rincewind. – Nie czuję już ręki.

– Masz szczęście. Ja swoją czuję.

Pochodnia na czele przystanęła i zagrzmiał czyjś głos, wypełniając pustkę wieży niezrozumiałymi echami.

– Zdaje się – rzekł Dwukwiat, czując, że zsuwa się coraz dalej do otworu – że ktoś nam mówił, abyśmy się trzymali.

Rincewind wymówił kolejne słowo.

A potem dodał ciszej i bardziej nagląco:

– Szczerze mówiąc, ja już chyba dłużej nie wytrzymam.

– Spróbuj.

– Nic z tego. Ręka mi się ześlizguje.

Dwukwiat westchnął. Nadeszła pora na drastyczne środki.

– Proszę cię bardzo – powiedział ostro. – Spadaj. Nie obchodzi mnie to.

– Co? – Rincewind był tak zdumiony, że zapomniał o wypuszczeniu dłoni turysty.

– No dalej, umieraj. To najłatwiejsze.

– Najłatwiejsze?

– Musisz tylko runąć z wrzaskiem w dół i połamać sobie wszystkie kości. Każdy to potrafi. No, już! Nie chcę, żebyś pomyślał, że powinieneś zostać przy życiu, bo jesteś nam potrzebny, by wypowiedzieć Zaklęcia i ocalić Dysk. Nie, skąd... Kogo obchodzi, że wszyscy tu spłoniemy? Możesz myśleć tylko o sobie. Spadaj.

Zapadła długa, pełna zakłopotania cisza.

– Nie wiem, jak to się dzieje – rzekł w końcu Rincewind – ale odkąd cię poznałem, jakoś sporo czasu poświęcam na wiszenie na czubkach palców na pewnej wysokości. Zauważyłeś?

– Nad zgubą – poprawił Dwukwiat.

– Jaką zgubą?

– Pewną – wyjaśnił uprzejmie Dwukwiat. Starał się ignorować powolne, ale niepowstrzymane ześlizgiwanie się ciała po kamieniach. – Wisisz nad pewną zgubą. Nie lubisz wysokości.

– Wysokości mi nie przeszkadzają – odparł z ciemności głos Rincewinda. – Z wysokościami mogę żyć. W tej chwili zajmują mnie głębie. Wiesz, co zrobię, kiedy z tego wyjdę?

– Nie.

Dwukwiat zaczepił palcami stóp o szczelinę między kamieniami i spróbował samą siłą woli unieruchomić swoje ciało.

– Zbuduję dom w najbardziej płaskiej okolicy, jaką znajdę. Będzie miał tylko parter, a ja nie włożę nawet sandałów na grubej podeszwie...

Pochodnia na czele pokonała ostatni krąg spirali schodów i Dwukwiat zobaczył pod sobą uśmiechniętą twarz Cohena. Z tyłu dostrzegł podskakującą niezgrabnie, dodającą otuchy ciemną sylwetkę Bagażu.

– Wszystko w porządku? – zapytał Cohen. – Pomóc wam w czymś?

Rincewind nabrał tchu.

Dwukwiat rozpoznał objawy. Rincewind zamierzał powiedzieć coś w rodzaju: „Owszem, strasznie mnie swędzą plecy. Mógłbyś mnie podrapać, przechodząc?" albo „Nie, lubię tak wisieć nad bezdennymi przepaściami". Uznał, że nie może na to pozwolić. Rzekł szybko:

– Wciągnij Rincewinda na schody.

Rincewind w połowie warknięcia wypuścił powietrze.

Cohen złapał go w pasie i bezceremonialnie wciągnął na stopnie.

– Paskudnie to wygląda tam, na dole – poinformował obojętnym tonem. – Kto to był?

– Czy on... – Rincewind przełknął ślinę. – Czy on miał... no wiesz... macki i takie różne?

– Nie – odparł Cohen. – Zupełnie normalne części. Oczywiście porozrzucane nieco.

Rincewind zerknął na Dwukwiata. Turysta pokręcił głową.

– To mag, który nie zdołał opanować swoich dzieł – wyjaśnił.

Niepewnie, z głośno protestującymi ramionami, Rincewind pozwolił się wyprowadzić z powrotem na dach.

– Skąd się tu wziąłeś? – zapytał.

Cohen wskazał Bagaż, który podbiegł do Dwukwiata i otworzył wieko jak pies, co wie, że był niegrzeczny, i ma nadzieję, że szybka demonstracja uczuć ocali go przed autorytetem zwiniętej gazety.

– Trochę rzuca, ale jest szybki – stwierdził z podziwem. – I wiesz, co ci powiem? Jak na nim jeździsz, nikt nie próbuje cię zatrzymywać.

Rincewind spojrzał na niebo. Nadal było pełne księżyców, pokrytych kraterami ogromnych kul, dziesięciokrotnie większych niż mały satelita Dysku. Przyglądał im się bez większego zainteresowania. Czuł się wyczerpany, napięty poza granice wytrzymałości i kruchy jak stara guma.

Zauważył, że Dwukwiat usiłuje nastawić swoje obrazkowe pudełko.

Cohen oglądał właśnie siedmiu wielkich magów.

– Dziwne miejsce na stawianie posągów – zauważył. – Nikt ich tu nie zobaczy. Zresztą niewiele są warte. Marna robota.

Rincewind podszedł niepewnym krokiem i ostrożnie dotknął piersi Werta. Była litym kamieniem.

To jest to, pomyślał. Chcę wracać do domu.

Chwileczkę... przecież jestem w domu. Mniej więcej. W takim razie chcę się wyspać, a może do rana wszystko się ułoży.

Jego wzrok padł na Octavo obramowane drobnymi rozbłyskami oktarynowych płomieni. A tak, przypomniał sobie.

Podniósł księgę i z roztargnieniem przerzucił karty. Gęsto wypełniało je złożone, ruchome pismo, które na jego oczach zmieniało się i przekształcało. Sprawiało wrażenie, jakby nie mogło się zdecydować, czym powinno być. W jednej chwili wyglądało jak spokojny, rzeczowy druk, a w następnej jak ciąg kanciastych run. Potem okrągły kythijski język zaklęć. Potem piktogramy jakiegoś pradawnego, złego pisma: te przedstawiały chyba wyłącznie ohydne gadzie stworzenia, robiące sobie nawzajem coś skomplikowanego i bardzo bolesnego...

Ostatnia strona była pusta. Rincewind westchnął i zajrzał w głąb swego umysłu. Zaklęcie odpowiedziało spojrzeniem.

Marzył o chwili, kiedy wreszcie je usunie i znowu obejmie w posiadanie własną głowę, nauczy się wszystkich pomniejszych czarów, do tej pory zbyt przestraszonych, by pozostawać w jego pamięci. I miał nadzieję, że będzie to bardziej ekscytujące.

Tymczasem, znużony i zniechęcony, z miną niedopuszczającą żadnej dyskusji, przyjrzał się Zaklęciu lodowato i wskazał metaforycznym kciukiem za siebie.

Ty tam! Wynocha!

Przez moment miał wrażenie, że Zaklęcie spróbuje się spierać, ale rozsądnie zrezygnowało z tego pomysłu.

Poczuł mrowienie, błękitny błysk za oczami i nagłą pustkę.

Strona księgi wypełniła się słowami. Znowu były to runy. Ucieszył się, ponieważ obrazki z gadami były nie tylko niewypowiedzianie ohydne, ale też prawdopodobnie niewymawialne. Przypominały mu również sprawy, o których tylko z wielkim trudem zdołałby zapomnieć.

Tępo przyglądał się księdze. Tymczasem Dwukwiat krzątał się dookoła, a Cohen na próżno usiłował zerwać pierścienie z palców jednego ze skamieniałych magów.

Muszę czegoś dokonać, przypomniał sobie Rincewind. Zaraz... co to było?

Otworzył księgę na pierwszej stronie i zaczął czytać. Poruszał wargami, palcem wskazującym kreślił kształt każdej z liter. A kolejne wymamrotane słowa pojawiały się bezgłośnie w powietrzu; wiatr szarpał smugi jaskrawych barw.

Rincewind przewrócił stronę.

Jacyś ludzie wchodzili schodami – ludzie z gwiazdami, zwykli obywatele, nawet kilku osobistych gwardzistów Patrycjusza. Kilku z gwiazdami usiłowało bez szczególnego zapału zbliżyć się do Rincewinda, otoczonego już tęczowym wirem liter. Cohen dobył miecza i przyjrzał się im nonszalancko, więc po krótkim namyśle zrezygnowali.

Cisza niby kręgi fal w kałuży rozprzestrzeniała się wokół zgarbionej postaci Rincewinda. Spływała z wieży i obejmowała czekające tłumy, przelewała się przez mury, mrocznym strumieniem ciekła przez miasto i zalewała okolice. Nad Dyskiem zawisła ogromna kula gwiazdy. Nowe księżyce wirowały wokół niej powoli i bezgłośnie.

Jedynym dźwiękiem był chrapliwy szept Rincewinda, który odwracał kolejne strony.

– Czy to nie emocjonujące? – spytał Dwukwiat.

Cohen skręcał właśnie papierosa ze smolistych szczątków jego przodków. Spojrzał tępo, z papierem uniesionym do ust.

– Co ma być emocjonujące? – zapytał.

– Cała ta magia.

– To tylko światła – ocenił krytycznie Cohen. – Nawet nie wyciągnął gołębia z rękawa.

– Tak, ale czy nie wyczuwasz okultystycznego potencjału?

Cohen wydobył z kapciucha dużą żółtą zapałkę, z namysłem spojrzał na Werta, po czym spokojnie potarł nią o skamieniały nos.

– Posłuchaj – jak najdelikatniej zwrócił się do Dwukwiata. – Czego się spodziewasz? Długo już chodzę po tym świecie i widziałem magię. I powiem ci, że jeśli będziesz za każdym razem rozdziawiał gębę, w końcu ktoś ci w nią przyłoży. Zresztą magowie umierają jak wszyscy, kiedy wetknie się w nich...

Przerwał mu głośny trzask. To Rincewind zamknął księgę. Wyprostował się i rozejrzał.

Oto co zdarzyło się zaraz potem:

Nic.

Zebrani wokół ludzie nie od razu to sobie uświadomili. Wszyscy skulili się instynktownie, oczekując eksplozji jaskrawego światła, połyskującej kuli ognia czy też – w przypadku Cohena, który nie liczył na wiele – pary białych gołębi, ewentualnie trochę przyduszonego królika.

Nie było to nawet szczególnie interesujące nic. Czasami pewne rzeczy nie wydarzają się w sposób bardzo efektowny. Jednak w konkurencji niezdarzeń to nie miało najmniejszych szans.

– To wszystko? – zapytał Cohen.

Z tłumu dobiegły niechętne pomruki, a kilku ludzi z gwiazdami spojrzało na Rincewinda gniewnie.

Mag patrzył tępo na Cohena.

– Chyba tak – odparł.

– Ale nic się nie stało.

Rincewind zerknął niepewnie na Octavo.

– Może to jakiś subtelny efekt – rzucił z nadzieją. – W końcu nie wiemy przecież, co powinno się stać.

– Wiedzieliśmy! – krzyknął jeden z ludzi z gwiazdami. – Magia nie działa! To tylko złudzenie.

Kamień zatoczył łuk i trafił Rincewinda w ramię.

– Tak – zawołał inny z gwiazdą. – Bierzmy go!

– Zrzućmy go z wieży!

– Bierzmy go, a potem zrzućmy z wieży!

Tłum ruszył do ataku. Dwukwiat podniósł ręce.

– Jestem pewien, że nastąpiła jakaś pomyłka... – zdążył powiedzieć, nim ktoś podciął mu nogi.

– Niech to! – mruknął Cohen, rzucił niedopałek i przydeptał go sandałem. Dobył miecza i rozejrzał się za Bagażem.

Bagaż nie rzucił się Dwukwiatowi na ratunek. Stał nieruchomo przed Rincewindem, który niczym butelkę z gorącą wodą przyciskał do piersi Octavo i wyglądał na przerażonego.

Mężczyzna z gwiazdą skoczył ku niemu. Bagaż groźnie uniósł wieko.

– Ja wiem, czemu nie podziałało – odezwał się jakiś głos zza pleców napastników. To była Bethan.

– Tak? – odpowiedział jej najbliżej stojący obywatel. – A dlaczego niby mamy cię słuchać?

Ułamek sekundy później miecz Cohena dotknął jego karku.

– Chociaż z drugiej strony – kontynuował ów człowiek – powinniśmy się chyba przekonać, co ma do powiedzenia ta młoda dama.

Cohen odwrócił się powoli, z mieczem gotowym do ciosu. Bethan wystąpiła naprzód i popatrzyła na ruchliwe kształty zaklęć, wciąż zawieszone w powietrzu wokół Rincewinda.

– To jest błędne – stwierdziła, wskazując plamę brudnego brązu wśród pulsujących, jaskrawych błysków. – Musiałeś źle zaakcentować jakieś słowo. Spójrzmy.

Rincewind w milczeniu podał jej Octavo. Otworzyła je i przerzuciła strony.

– Zabawne pismo – zauważyła. – Ciągle się zmienia. Co ten krokodyl robi ośmiornicy?

Rincewind zajrzał jej przez ramię i nie namyślając się, powiedział. Umilkła na chwilę.

– Aha – rzuciła spokojnie. – Nie wiedziałam, że krokodyle to potrafią.

– To tylko starożytne pismo obrazkowe – wyjaśnił pospiesznie Rincewind. – Zmieni się, jeśli chwilę zaczekasz. Zaklęcia mogą się objawić w każdym znanym języku.

– Pamiętasz, co mówiłeś, kiedy pojawił się ów brudnobrązowy kolor?

Rincewind przesunął palcem po stronie.

– Chyba tutaj. Gdzie ten dwugłowy jaszczur... robi to, co robi. Dwukwiat stanął obok dziewczyny. Zaklęcie się przekształciło.

– Nie umiem nawet tego wypowiedzieć – westchnęła Bethan. – Zygzak, zygzak, kropka, kreska.

– To śnieżne runy Cupumuguku – stwierdził Rincewind. – Chyba powinno się to wymawiać „zf".

– Ale to nie podziałało. Może „sf"?

Spojrzeli na fruwające słowo. Pozostawało w zdecydowanie niewłaściwym kolorze.

– Albo „sff"? – zaproponowała Bethan.

– A może „tsff"? – mruknął z coraz większym powątpiewaniem Rincewind.

Słowo, jeśli w ogóle uległo zmianie, to stało się jeszcze bardziej brudnobrązowe.

– A co powiecie na „zsff"? – wtrącił Dwukwiat.

– Nie żartuj – mruknął Rincewind. – Śnieżne runy nie...

Bethan szturchnęła go łokciem w żołądek i wyciągnęła rękę. Brązowa plama w powietrzu lśniła teraz jaskrawą czerwienią.

Książka zadrżała. Rincewind chwycił dziewczynę w pasie, złapał za kołnierz Dwukwiata i odskoczył.

Bethan upuściła Octavo, które pofrunęło na kamienie. Nie dotarło do nich.

 Powietrze wokół księgi zajaśniało. Octavo uniosło się wolno, machając stronicami jak skrzydłami.

Zabrzmiał dźwięczny, miły dla ucha, ostry głos i Octavo jakby eksplodowało złożonym, bezgłośnym kwiatem blasku, który pomknął na wszystkie strony świata, przygasł i zniknął.

Ale coś innego działo się o wiele wyżej, na niebie...

W geologicznych głębinach potężnego mózgu Wielkiego A'Tuina nowe myśli mknęły wzdłuż ścieżek neuronowych, szerokich jak autostrady. Żółw niebios w żaden sposób nie może zmienić wyrazu twarzy, jednak pokryte łuską, poorane meteorami oblicze zdawało się pełne wyczekiwania.

Oczy spoglądały nieruchomo na osiem kul, bez końca okrążających gwiazdę wyrzuconą na plażę kosmosu.

Kule pękały.

Wielkie odłamki skał zmierzały długą spiralną drogą ku gwieździe. Migotliwe odpryski rozjaśniły niebo.

Z pozostałości pustej skorupy wydostał się w czerwony blask bardzo mały niebiański żółw. Był tylko nieco większy niż asteroida, a pancerz lśnił mu jeszcze od płynnego żółtka. Na grzbiecie miał cztery małe słoniątka, które dźwigały Dysk, malutki jeszcze, przesłonięty dymami wulkanów.

Wielki A'Tuin czekał, aż wszystkie osiem żółwi uwolni się ze skorup i zacznie w oszołomieniu przebierać płetwami. Wtedy, ostrożnie, by niczego nie naruszyć, stary żółw zawrócił i z wyraźną ulgą ruszył w długi rejs ku rozkosznie chłodnym bezdennym głębiom kosmosu.

Młode żółwie podążyły za nim, orbitując wokół rodzica.

Dwukwiat jak urzeczony wpatrywał się w spektakl na niebie. Prawdopodobnie miał najlepszy widok ze wszystkich ludzi na Dysku.

I nagle przyszła mu do głowy straszna myśl.

– Gdzie obrazkowe pudełko? – zapytał nerwowo.

– Co? – spytał zapatrzony Rincewind.

– Obrazkowe pudełko. Muszę zrobić obrazek.

– Nie możesz po prostu zapamiętać? – spytała Bethan. Nie spojrzała na niego.

– Mógłbym zapomnieć.

– Ja nigdy nie zapomnę – oświadczyła. – To najpiękniejsze, co w życiu widziałam.

– O wiele lepsze niż gołębie i kule bilardowe – zgodził się Cohen. – Muszę ci to przyznać, Rincewindzie. Jak to zrobiłeś?

– Nie wiem – odparł Rincewind.

– Gwiazda jest coraz mniejsza – zauważyła Bethan.

Rincewind słyszał niewyraźnie głos Dwukwiata, spierającego się z demonem siedzącym w pudełku. Była to czysto techniczna dyskusja na temat głębi ostrości i czy demonowi wystarczy czerwonej farby.

Należy tu zaznaczyć, że Wielki A'Tuin był w tej chwili zadowolony i spokojny. Takie uczucia w umyśle wielkości kilku sporych miast muszą promieniować dookoła. W związku z tym większość mieszkańców

Dysku znalazła się w stanie, który można osiągnąć jedynie dzięki całemu życiu medytacji albo około trzydziestu sekundom używania zakazanych ziół.

To cały Dwukwiat, pomyślał Rincewind. Rzecz nie w tym, że nie potrafi dostrzec piękna, po prostu ocenia je na swój własny sposób. Jeśli na przykład poeta zobaczy narcyz, napisze o nim wiersz. Dwukwiat natomiast pójdzie szukać jakiejś książki z botaniki. I rozdepcze go. Cohen miał rację. Na cokolwiek on spojrzy, nigdy już nie będzie takie samo. Nie wyłączając mnie, podejrzewam.

Wzeszło słońce Dysku. Gwiazda zmalała całkiem i nie stanowiła poważnej konkurencji. Porządne, solidne światło zalewało urzeczoną ziemię niczym morze złota.

Czy też, jak twierdzą bardziej rzetelni sprawozdawcy, jak złocisty syrop.

Było to ładne, dramatyczne zakończenie, ale życie nie działa w ten sposób. Inne zdarzenia także musiały nastąpić.

Na przykład sprawa Octavo.

Kiedy trafił ją słoneczny blask, księga zatrzasnęła się i runęła z powrotem do wieży. A wielu obserwatorów uświadomiło sobie nagle, że oto spada ku nim najpotężniejszy obiekt magiczny na Dysku.

Uczucia pokoju i braterstwa wyparowały z poranną rosą. Ludzie odepchnęli Rincewinda i Dwukwiata, rzucili się jeden przez drugiego, wspinali się na ramiona sąsiadów i wyciągali ręce. Octavo opadło w sam środek tej rozkrzyczanej tłuszczy. Zabrzmiało trzaśnięcie... bardzo stanowcze trzaśnięcie – takie, jakie wydaje wieko, które nie zamierza się szybko otwierać.

Między czyimiś nogami Rincewind spojrzał na Dwukwiata.

– Wiesz, co moim zdaniem teraz się stanie? – zapytał, szczerząc zęby.

– Co?

– Kiedy otworzysz Bagaż, w środku będzie tylko czysta bielizna. Tak myślę.

– Aha...

– Myślę, że Octavo potrafi zadbać o siebie. Znalazło najlepsze miejsce.

– Chyba tak. Wiesz, czasem mam wrażenie, że Bagaż doskonale wie, co robi.

– Rozumiem, o co ci chodzi.

Przeczołgali się na skraj walczącego tłumu, wstali, otrzepali się i skierowali do schodów. Nikt nie zwracał na nich uwagi.

– Co teraz robią? – zainteresował się Dwukwiat, próbując spojrzeć ponad głowami ludzi.

– Chyba usiłują podważyć wieko – odparł Rincewind.

Coś trzasnęło i rozległ się wrzask.

– Wydaje mi się, że Bagaż lubi być ośrodkiem zainteresowania – stwierdził Dwukwiat, kiedy rozpoczęli ostrożne zejście.

– Tak. I chyba dobrze mu zrobi, jeśli czasem wyjdzie gdzieś i pozna nowych ludzi – przyznał Rincewind. – A mnie dobrze zrobi, jeśli też gdzieś pójdę i zamówię coś do picia.

– Niezły pomysł. Ja też chętnie się czegoś napiję.

Było już prawie południe, kiedy wreszcie Dwukwiat się zbudził. Nie pamiętał ani jak się znalazł na poddaszu stajni, ani dlaczego ma na sobie cudzy płaszcz. Jednak pewna myśl nie dawała mu spokoju.

Uznał, że musi podzielić się nią z Rincewindem.

Wytoczył się z siana i wylądował na Bagażu.

– A więc jesteś – stwierdził. – Mam nadzieję, że się wstydzisz.

Bagaż wydawał się zdziwiony.

– Poza tym chcę się uczesać. Otwórz się.

Bagaż posłusznie uniósł wieko. Dwukwiat pogrzebał między torbami i pudełkami, znalazł grzebień i lustro i usunął z twarzy niektóre ze szkód doznanych tej nocy. Potem spojrzał surowo na Bagaż.

– Pewnie mi nie powiesz, co zrobiłeś z Octavo?

Minę Bagażu można opisać jedynie jako drewnianą.

– Trudno. Chodźmy więc.

Dwukwiat wyszedł na słońce, odrobinę zbyt jasne jak na jego obecne gusta. Bez celu ruszył ulicą. Wszystko wydawało się nowe i świeże, nawet zapachy. Nie spotkał wielu przechodniów. Widocznie noc była długa.

Rincewinda znalazł u stóp Wieży Sztuk. Kierował grupą robotników, którzy zmontowali coś w rodzaju dźwigu i spuszczali na ziemię kamiennych magów. Towarzyszyła mu małpa, lecz Dwukwiat nie miał ochoty czemukolwiek się dziwić.

– Można ich z powrotem ożywić? – zapytał.

Rincewind się rozejrzał.

– Co? Ach, to ty. Nie, raczej nie. Zresztą obawiam się, że upuścili starego Werta, biedaczysko. Pięćset stóp, prosto na bruk.

– Czy możesz coś z tym zrobić?

– Skalny ogródek.

Rincewind odwrócił się i pomachał do robotników.

– Jesteś bardzo wesoły – zauważył Dwukwiat z odrobiną wyrzutu. – Nie położyłeś się spać?

– To zabawne, ale nie mogłem zasnąć. Wyszedłem odetchnąć świeżym powietrzem i zauważyłem, że jakoś nikt nie ma pojęcia, co robić. Więc zebrałem ludzi – wskazał bibliotekarza, który usiłował łapać go za rękę – i zacząłem organizować pracę. Piękny dzień, prawda? Powietrze jak wino.

– Rincewindzie, postanowiłem...

– Chyba wrócę na uniwersytet – oznajmił radośnie Rincewind. – Myślę, że tym razem mi się uda. Wiem, że zdołam sobie poradzić z magią i na przyzwoitym poziomie skończyć studia. Mówią, że po dyplomie z wyróżnieniem życie jest proste.

– To dobrze, ponieważ...

– A w dodatku grube ryby będą teraz podpierać drzwi. Jest miejsce na szczycie dla...

– Wracam do domu.

– ...bystrego chłopaka bywałego w świecie... co?

– Uuk?

– Powiedziałem, że wracam do domu – powtórzył Dwukwiat. Bardzo grzecznie próbował strząsnąć z siebie bibliotekarza, który usiłował go iskać.

– Jakiego domu? – Rincewind był wstrząśnięty.

– Domowego domu. Mojego domu. Tam, gdzie mieszkam – wyjaśnił zakłopotany Dwukwiat. – Za morzem. Wiesz przecież. Tam, skąd przybyłem. Czy mógłbyś przestać?

– Aha.

– Uuk?

Zapadła cisza.

– Widzisz, przyszło mi to do głowy tej nocy – odezwał się w końcu Dwukwiat. – Pomyślałem... no wiesz... chodzi o to, że podróże i oglądanie jest wspaniałe, ale przyjemność to także to, że się gdzieś było. Rozumiesz, układanie obrazków w albumie i wspominanie wszystkiego.

– Naprawdę?

– Uuk?

– Tak. Najważniejsze we wspomnieniach jest to, żeby potem mieć się gdzie zatrzymać i tam je wspominać. Rozumiesz? Trzeba kiedyś przestać. Człowiek nigdzie naprawdę nie był, póki nie wróci do domu. Chyba o to mi właśnie chodzi.

Rincewind odtworzył w pamięci tę wypowiedź. Za drugim razem wcale nie stała się bardziej zrozumiała.

– Aha – mruknął. – No dobrze. Jeśli tak to widzisz... A zatem... kiedy odpływasz?

– Jeszcze dzisiaj. Na pewno jakiś statek płynie we właściwą stronę, przynajmniej przez część drogi.

– Chyba tak.

Rincewind poczuł się skrępowany. Spojrzał na swoje stopy. Potem na niebo. Odchrząknął.

– Sporo razem przeżyliśmy, co? – Dwukwiat szturchnął go pod żebro.

– Taa... – Rincewind wykrzywił twarz w uśmiechu.

– Nie jesteś zły, prawda?

– Kto? Ja? Skąd! Mam mnóstwo spraw do załatwienia.

– Wiesz co? Zanim pójdę do portu, zjedzmy razem śniadanie.

Rincewind smętnie pokiwał głową, wyjął z kieszeni banana i zwrócił się do swego asystenta.

– Teraz już wiesz, na czym to polega. Przejmij dowodzenie.

– Uuk.


Szczerze mówiąc, żaden statek nie wypływał w stronę Imperium Agatejskiego, lecz był to problem czysto akademicki.

Dwukwiat bowiem po prostu odliczał sztuki złota na wyciągniętą dłoń dowódcy pierwszego w miarę czystego statku tak długo, dopóki wilk morski nie dostrzegł konieczności zmiany planów.

Rincewind czekał na nabrzeżu, aż turysta wypłaci kapitanowi mniej więcej czterdziestokrotną wartość statku.

– Załatwione – oświadczył Dwukwiat. – Wysadzi mnie na Wyspach Brunatnych, a stamtąd bez trudu coś złapię.

– Świetnie – mruknął Rincewind.

Dwukwiat zamyślił się na chwilę. Potem otworzył Bagaż i wyjął worek złota.

– Widziałeś Cohena i Bethan? – zapytał.

– Poszli chyba wziąć ślub – odparł Rincewind. – Bethan mówiła, że teraz albo nigdy.

– Kiedy się z nimi spotkasz, daj im to. – Turysta wręczył mu sakwę. – Wiem, jakie to koszty, kiedy pierwszy raz trzeba wyposażyć dom. Dwukwiat nigdy do końca nie pojął zawiłości kursów wymiany. Ten worek mógł bez trudu wyposażyć Cohena w niewielkie królestwo.

– Przekażę im przy pierwszej okazji – obiecał Rincewind i ku własnemu zaskoczeniu uświadomił sobie, że istotnie ma ten zamiar.

– Dobrze. Dla ciebie też mam prezent.

– Nie, przecież... nie trzeba...

Dwukwiat pogrzebał w Bagażu i wydobył duży wór. Zaczął napełniać go ubraniami, pieniędzmi i obrazkowym pudełkiem, aż wreszcie Bagaż był zupełnie pusty. Na końcu włożył do wora swoją starannie owiniętą w bibułkę pamiątkową papierośnicę z pozytywką i wieczkiem zdobionym muszelkami.

– Jest twój – oświadczył, zatrzaskując wieko Bagażu. – Nie będzie mi już potrzebny, zresztą i tak nie zmieściłby się w szafie.

– Co?

– Nie chcesz go?

– Wiesz, ja... oczywiście, ale... on jest twój. Biega za tobą, nie za mną.

– Bagażu – rzeki Dwukwiat. – To jest Rincewind. Należysz do niego, jasne?

Bagaż powoli wysunął nóżki, odwrócił się bardzo ostrożnie i spojrzał na Rincewinda.

– Właściwie on chyba należy tylko do siebie – mruknął Dwukwiat.

– Tak – przyznał niepewnie Rincewind.

– No, to załatwione. – Dwukwiat wyciągnął rękę. – Żegnaj, Rincewindzie. Kiedy wrócę do domu, przyślę ci kartkę. Albo coś.

– Tak... Jakbyś przejeżdżał, na pewno ktoś będzie wiedział, gdzie mnie szukać.

– Jasne. Dobrze. To chyba wszystko...

– Wszystko. Zgadza się.

– Pewnie.

– Tak.

Dwukwiat wszedł na pokład, a niecierpliwa załoga natychmiast wciągnęła trap.

Zabrzmiał bęben wybijający rytm wioślarzom i statek wypłynął powoli na mętne wody Ankh, znowu głębokie jak dawniej. Tam pochwyciła go fala odpływu i skręcił na otwarte morze.

Rincewind patrzył, póki statek nie zmalał do rozmiarów punktu. Potem zerknął na Bagaż. Kufer odpowiedział pytającym spojrzeniem.

– Posłuchaj – rzekł mag. – Idź sobie. Daję ci wolność, rozumiesz? Odwrócił się do niego plecami i odszedł. Po kilku sekundach usłyszał tupot małych stóp. Obejrzał się.

– Powiedziałem już, że cię nie chcę! – zawołał i wymierzył Bagażowi kopniaka.

Bagaż przysiadł. Rincewind ruszył do miasta.

Kilka kroków dalej zatrzymał się i zaczął nasłuchiwać. Nie dobiegał do niego żaden dźwięk. Odwrócił się; Bagaż leżał tam, gdzie go zostawił. Sprawiał wrażenie skulonego i nieszczęśliwego.

Rincewind pomyślał chwilę.

– No dobrze – mruknął. – Chodź.

Pomaszerował w stronę uniwersytetu. Po kilku minutach Bagaż jakby podjął decyzję, wysunął nóżki i podreptał za nim. Nie zorientował się, jak wiele miał możliwości.

Szli nabrzeżem do miasta, dwa malejące punkciki w pejzażu. Perspektywa rozszerzała się, obejmując maleńki statek, który rozpoczynał rejs przez morze, które było tylko częścią wielkiego okrężnego oceanu na przesłoniętym chmurami Dysku, który spoczywał na grzbietach czterech słoni, które z kolei stały na skorupie gigantycznego żółwia.

Który wkrótce stał się zaledwie iskierką wśród gwiazd, a potem i on zniknął.